L'ABONDANCE CRÉATRICE

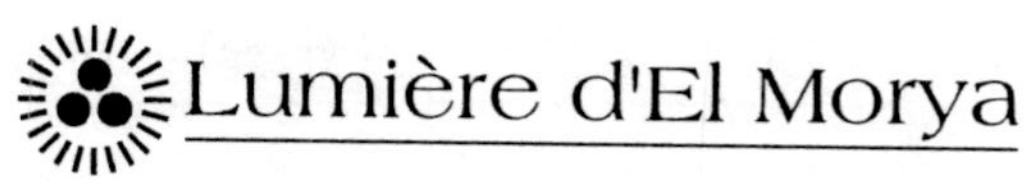

Lumière d'El Morya

4461, rue Saint-André, Montréal, Québec, Canada H2J 2Z5
Tél. : 514-523-9926 • Téléc. : 514-527-2744 • elmorya@videotron.ca

- ☐ J'aimerais recevoir le catalogue de vos publications
- ☐ J'aimerais être tenu au courant de toute nouvelle parution
- ☐ J'aimerais connaître les avantages d'être membre de *Les amis de Lumière d'El Morya*

Nom ______________________________

Adresse ______________________________

______________________ Code postal __________

Tél. : ___/__________ Adresse électronique __________

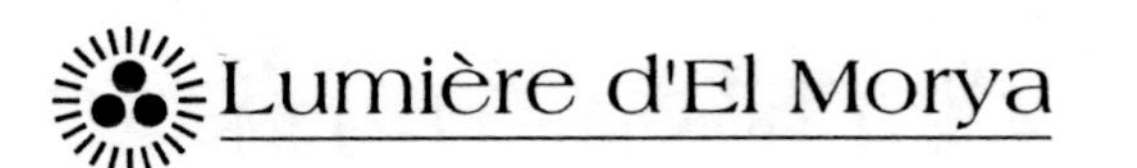

Lumière d'El Morya est une société sans but lucratif dont la mission est de traduire et de publier en français les Enseignements des Maîtres Ascensionnés publiés par le Summit University Press.

Pour appuyer notre effort de publication et d'expansion de ces Enseignements, un groupe de soutien appelé *Les amis de Lumière d'El Morya* a été créé.

La cotisation annuelle de 50$ vous permettra de recevoir en priorité l'information concernant toute nouvelle publication.

S'il vous plaît compléter l'endos de cette carte et nous la retourner dans une enveloppe fermée.

L'ABONDANCE CRÉATRICE

Les clefs de l'abondance spirituelle et matérielle

ELIZABETH CLARE PROPHET
MARK L. PROPHET

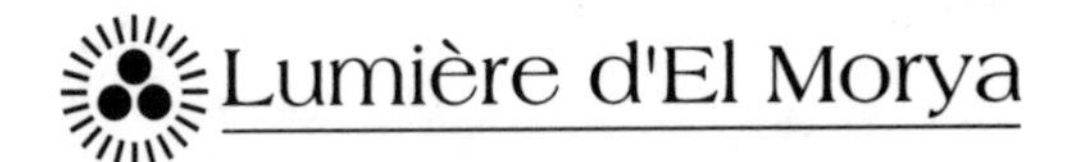

Traduit de l'anglais par Pierre Trevet.
Révisé par Jeanne Vilardebo.
Illustrations de Louise Pomminville.

Titre original :CREATIVE ABUNDANCE
Keys to Spiritual and Material Prosperity
par Elizabeth Clare Prophet et Mark L. Prophet.

Pour information, écrire ou appeler Summit University Press,
1 East Gate Road, Gardiner MT 59030, U.S.A.
Tél. : 406-848-9500. Téléc. : 406-848-9555. Courriel : tslinfo@tsl.org
Site web : http://www.summituniversitypress.com

Les Éditions Lumière d'El Morya
4461, rue Saint-André, Montréal, Québec, Canada H2J 2Z5
Tél. : 514-523-9926. Télécopieur : 514-527-2744.
Courriel : elmorya@videotron.ca

Distribution au Canada :
Diffusion Raffin : Tél. : 450-585-9909 ou 1-800-361-4293
Courriel : diffusionraffin@qc.aira.com

Dépôt légal : Bibliothèque nationale du Canada
Bibliothèque nationale du Québec
3e trimestre 2002

ISBN :2-922136-05-1 Imprimé au Canada
07 06 05 04 03 02 6 5 4 3 2 1

Abondance ne rime pas qu'avec finances. L'abondance est le courant d'énergie qui, venu de la source universelle de la vie, se manifeste en prospérité à la fois matérielle et spirituelle. L'abondance est amour et sagesse, talents et vertus, argent et biens matériels, tout ce dont nous avons besoin pour atteindre le but de notre vie.

L'énergie doit se propager librement vers nous et à travers nous pour se matérialiser en abondance. Si nous ne connaissons pas ce courant d'abondance, nous devons nous demander pourquoi.

Qu'est-ce qui, en nous ou autour de nous, fait obstacle à la prospérité ?

Qu'est-ce qui, dans son flux vers nous, fait obstacle à l'énergie divine ?

Ce livre peut vous aider à répondre à ces questions. Il contient des clefs qui vous donneront accès à l'abondance spirituelle et matérielle dont vous avez besoin. Ces clefs proviennent des remarquables écrits du maître Saint-Germain et des enseignements que Mark, mon regretté mari, et moi-même avons donnés au cours des quarante dernières années.

Saint-Germain, qui est un expert dans l'art de la transmutation spirituelle et physique connu sous le nom d'alchimie, écrit :

« Pendant combien de temps encore devrez-vous dépenser votre énergie pour extraire des réserves de la nature – réserves qui paraissent à certains bien pauvres il est vrai – à peine de quoi vivre pauvrement, quand tous vos besoins peuvent être satisfaits par la maîtrise des lois cosmiques dont témoignent la vie de Jésus et celle d'autres grands maîtres ?

« Avec vous – et avec Dieu – toutes choses sont possibles. »

Les possibilités d'accéder à l'abondance créatrice sont illimitées. Je vous engage à les explorer en pratiquant les techniques simples qui suivent afin d'élaborer votre propre alchimie de l'abondance. Et, s'il vous plaît, envoyez-moi des récits de succès – j'aimerais beaucoup être tenue au courant de vos victoires !

Elizabeth Clare Prophet

SOYEZ RECONNAISSANT POUR TOUT CE QUI VOUS ARRIVE

Si la seule prière que vous disiez de toute votre vie était « merci », cela suffirait.

Maître Eckhart

C'est une loi inhérente à l'esprit que d'accroître tout ce que l'on loue. La création entière répond à la louange et se réjouit.

Charles Fillmore

Rendez grâce à Dieu pour la joie et la beauté de sa création, dont fait partie – et ce n'est pas la moindre des choses – la beauté de votre âme. Remerciez Dieu continuellement pour ce que vous êtes et ce que vous avez, et vous verrez combien votre abondance va s'accroître.

AFFIRMATIONS

Que Dieu soit loué ! (Ps. 70:4)

Que le Seigneur soit loué, qui se réjouit de la prospérité de son serviteur ! (Ps. 35:27)

Soyez reconnaissant envers Dieu pour tout ce qui vous arrive. Tout – les choses positives, les choses négatives, le karma, les calamités – , parce que tout est enseignement. Et si les choses ne vont pas bien, rendez grâce à Dieu de les laisser se dégrader pour vous : ainsi vous rappelle-t-il qu'il vous reste quelque ajustement à faire pour progresser spirituellement.

Nous cheminons tous sur une voie initiatique. La terre est une école d'où nous sommes censés sortir diplômés. Les leçons que nous recevons tout au long de notre vie nous permettent de nous élever d'un niveau à l'autre.

Pourtant, n'est-il pas vrai que nous avons tous fait face à des situations au cours desquelles nous ne pouvions pas trouver une seule raison de louer Dieu ? Il est important de réaliser que tout ce qui vous arrive, que cela vous soit adressé depuis la planète Mars ou délivré par un camion semi-remorque, que cela vienne de votre belle-mère ou de votre employeur, c'est de l'énergie qui vous est destinée. Bénissez le messager qui vous remet ce paquet d'énergie, et retirez cette énergie de ce qui vous semble être une matrice négative. Régénérez-la et transmuez-la en quelque chose de positif.

N'attendez pas d'avoir totalement triomphé de tous les défis de l'existence pour être heureux, vous réjouir, louer et bénir la vie. Louer et rendre grâce à Dieu chaque jour est une clef pour la victoire de votre âme.

AFFIRMATIONS

Seigneur, je te remercie pour l'abondance que tu me donnes.

Au nom du JE SUIS CELUI QUE JE SUIS, JE SUIS l'expansion en ce jour de tout ce que j'ai qui est de Dieu, par l'amour, par la louange, et par le remerciement !

Louez Dieu en tous ceux que vous rencontrez. Essayez de donner à chacun un élan positif. Faites-vous un devoir de trouver quelque chose de merveilleux en tous ceux que vous rencontrez, et dites-le leur. Ce quelque chose est peut-être juste ce dont ils ont besoin pour sortir de leur marasme ou pour dissiper l'idée qu'il n'y a rien de vraiment spécial en eux. Il y a quelque chose de spécial en chacun, et vous pouvez les aider à voir ce que c'est.

« Aujourd'hui Seigneur, je vais donner un coup de pouce à tous ceux que tu m'envoies ». Quand vous dites cela à Dieu, attendez-vous à voir du monde se presser sur votre seuil, parce qu'il y a tellement de gens qui ont besoin de cet élan positif.

PARDONNEZ-VOUS

Se pardonner, c'est naître. ... C'est l'épanouissement de notre être sous l'effet de notre détermination à accepter, sans jugement, tout ce que nous sommes, nos défauts apparents, de même que notre gloire innée.

Robin Casarjian

Il m'est arrivé de rencontrer des gens qui disaient: «Je ne peux me pardonner cette chose terrible que j'ai faite. » Ils disaient même: « Je sais que Dieu m'a pardonné. Mais moi, je n'arrive vraiment pas à me pardonner ».

Si vous pensez que vous avez fait quelque chose d'impardonnable ou que vous avez fait mauvais usage des fonds d'autrui ou dépensé de l'argent stupidement, n'hésitez pas à vous tourner vers Dieu pour lui demander de vous accorder son pardon et vous aider à remettre les choses en ordre.

Quand on ne peut pas demander pardon ou le recevoir, cela signifie en réalité que l'on est trop fier pour accepter un don de Dieu. On veut y arriver tout seul. Mais en fait, on a tous besoin de Dieu.

Peut-être avez-vous agi égoïstement ou sous l'emprise d'un désir pour des biens matériels dont vous n'aviez pas réellement besoin. Cela n'a pas d'importance. Ne tournez pas en rond avec un sentiment de culpabilité en vous répétant : « Je suis endetté. Malheur à moi parce que j'ai acheté ces choses dont je n'ai pas besoin. J'ai investi stupidement. J'ai gaspillé l'argent que Dieu m'a donné. Maintenant, voyez le gâchis que j'ai fait de ma vie. »

Quel que soit le gâchis que vous ayez fait de vos finances, acceptez le pardon de Dieu, proclamez les mérites de Dieu, et affirmez que vous êtes l'image réfléchie de Dieu.

AFFIRMATION

Au nom de ma Présence JE SUIS, je proclame les mérites de Dieu, ainsi que les miens, car JE SUIS l'image réfléchie de Dieu.

Souvenez-vous que vous êtes fait à l'image et à la ressemblance de Dieu. Votre âme est censée être un miroir géant de Dieu. Entretenez l'éclat de ce miroir. Regardez dans le miroir et voyez le visage de Dieu qui vous sourit, et rendez-lui ce sourire.

Chaque fois que quelque chose menace d'obscurcir le miroir – vous éprouvez un sentiment d'injustice, vous êtes agacé, un souvenir inattendu remonte de votre inconscient – continuez de polir votre miroir afin d'être une réflexion plus parfaite de Dieu.

Pour combattre toute pression interne ou externe qui vous contraint et cherche à vous abattre, dites ces mots :

« Mon Dieu m'a pardonné. J'accepte ce pardon, et je me pardonne. Je rends grâce à Dieu de m'avoir également accordé l'opportunité de pardonner toutes les fautes de ceux qui m'ont fait du mal ou m'en feront jamais ! »

AFFIRMATION

JE SUIS le pardon en action
Rejetant la peur, le doute,
Rendant libres tous les hommes
Avec les ailes de la Victoire.

JE SUIS, j'appelle avec puissance

Le pardon à chaque instant ;
Sur toute vie et en tout lieu
Je répands grâce et pardon.

(répétez 3 fois ou par multiple de 3)

REJETEZ L'ANXIÉTÉ

Ayez moins peur, espérez plus ; mangez moins, mâchez plus ; pleurnichez moins, respirez plus ; parlez moins, dites plus ; haïssez moins, aimez plus ; et toutes bonnes choses sont à vous.

Proverbe suédois

L'anxiété doit être surmontée. Elle doit être remplacée par la foi et une confiance solennelle dans l'accomplissement du plan divin.

Saint-Germain

Saint-Germain nous dit que l'anxiété est un obstacle majeur à la matérialisation ou à la manifestation physique de ce dont nous avons besoin. Nous ne pouvons être une voie ouverte à l'onde d'abondance spirituelle et matérielle tant que nous n'avons pas dominé notre anxiété.

Je crois fermement que si Dieu possède l'abondance, nous pouvons l'avoir ! Car Jésus a dit : « Ne craignez rien, petit troupeau, car c'est le bon plaisir du Père de vous accorder le royaume. » Quand on nourrit le doute ou la peur, on ne peut recevoir le royaume de Dieu (c'est à dire la conscience de Dieu) ni son abondance. Saint-Germain dit que c'est une ineptie de penser que le futur va nous apporter quelque chose qui ne nous est pas donné aujourd'hui. « La vie est abondante, ici, maintenant et pour toujours », dit-il. « Où que vous soyez, vous n'avez qu'à y puiser. »

Dans les écrits des maîtres consignés par Helena Roerich, nous apprenons que « de toutes les énergies destructrices, la vibration de la peur est la plus notable, car la peur peut détruire chaque vibration créatrice... La manifestation de la peur fait obstacle à toute entreprise. »

Combien de vibrations créatrices recevez-vous chaque jour ? Des milliards, parce que chaque goutte d'énergie qui descend de Dieu sur vous est une vibration créatrice. Ce sont des courants ininterrompus de lumière, qui constituent le courant de conscience universelle. C'est le potentiel créateur.

La peur détruit d'innombrables possibilités, car lorsque nous avons des peurs où que ce soit dans notre monde, nous annulons le pouvoir des vibrations créatrices qui affluent vers nous.

Au lieu de laisser ces vibrations se répandre librement en nous et s'assembler d'elles-mêmes selon les schémas positifs que Dieu a imaginés pour nous, l'anxiété contraint cette énergie à se vêtir des schémas de nos peurs et de nos inquiétudes. Et comme nous l'apprend Job : « Ce que je craignais le plus m'est arrivé, ce dont j'avais peur s'est produit. »

Songez-y: l'anxiété, c'est vraiment douter que le Créateur puisse nous fournir ce dont nous avons besoin. Pourtant, nous savons que Dieu a une source illimitée d'énergie, et que nous avons accès à cette énergie.

Le maître taoiste Chuang Tzu enseignait: « Le sage connaît le chemin menant à ce que les anciens appelaient la Maison du Trésor Céleste. Il peut l'emplir sans la combler ; il peut y puiser sans la vider. »

Avez-vous déjà vu un maître qui se tracasse pour des riens ? Les grands maîtres de l'Orient et de l'Occident avaient découvert cette clef importante de l'abondance créatrice : parfois, il ne suffit que de nous écarter un peu pour permettre à Dieu de franchir notre seuil. « Dieu attend une seule chose de vous », dit le mystique chrétien Maître Eckhart, « c'est que vous sortiez de vous-même ... et laissiez Dieu être Dieu en vous. »

Vous pouvez utiliser des affirmations très simples pour vous aider à vous libérer des doutes et des peurs qui entravent votre abondance créatrice. En disant ces affirmations, visualisez dans vos mains étendues ce que vous demandez à Dieu de vous accorder, que ce soit un nouveau travail, la sagesse ou l'argent dont vous avez besoin pour aller à l'université.

Dans votre imagination, voyez, émanant de votre esprit, des flammes de couleur verte et violette crépiter tout autour de vous. La flamme violette, une énergie spirituelle de haute fréquence, est la flamme de la transmutation qui peut dissoudre les causes de vos peurs. La flamme verte est la flamme de l'abondance.

Vous pouvez aussi visualiser une brillante flamme blanche teintée de vert, la flamme du courage. Voyez-la en train de pénétrer tous les sentiments de doute et de peur, d'angoisse et d'effroi. En récitant les affirmations suivantes, voyez les fantômes de la peur et du doute quitter votre aura, chassés par les flammes qui jaillissent autour de vous.

AFFIRMATIONS

JE SUIS un être de feu violet
JE SUIS la pureté que Dieu désire

JE SUIS libre de toute peur,
Chassant besoin et misère,
Sachant que toute abondance
Vient toujours du plan céleste.

JE SUIS la main fortunée de Dieu
Versant des trésors de Lumière,
Recevant maintenant l'abondance
Pour combler chaque besoin.

(répéter 3 fois ou par multiple de 3)

RAVIVEZ VOTRE FOI

La peur frappa à la porte. La foi répondit. Personne n'était là.

Inscription sur l'enseigne
de l'hôtel Hinds' Head, Angleterre.

La foi est l'antidote de la peur. La foi est la matrice, le modèle, de ce que nous allons amener à se manifester. C'est pourquoi la foi est si importante. Si nous perdons notre foi ou notre capacité visionnaire, la base de nos efforts créatifs va s'écrouler.

Ayez foi en Dieu qui optimisera tout élément de l'alchimie personnelle que vous lui soumettrez en vue d'obtenir l'abondance. Il vous suffit d'attendre.

Pour beaucoup, attendre l'accomplissement de leurs voeux est leur plus grande épreuve. Et souvent, ils se découragent et abandonnent juste au moment où Dieu va répondre à leurs prières.

L'apôtre Jacques nous dit que la patience et la foi vont main dans la main. Il écrit :

> Que la patience accomplisse une œuvre parfaite, afin que vous soyez

> parfaits, irréprochables, ne laissant rien à désirer. Si l'un de vous manque de sagesse, qu'il la demande à Dieu – il donne à tous généreusement, sans récriminer – et elle lui sera donnée.

En d'autres termes, si nous sommes patients, nous serons « accomplis » – satisfaits, comblés, sans manques. Dieu nous donne avec largesse et ne nous reproche pas de solliciter ses généreux dons d'amour. Mais que vos demandes soient sages et avisées, car les dons et richesses de l'esprit sont ce que nous devrions rechercher par-dessus tout. Jacques continue :

> Mais qu'il demande avec foi, sans hésitation, car celui qui hésite ressemble au flot de la mer que le vent soulève et agite. Qu'il ne s'imagine pas, cet homme-là, recevoir quoi que ce soit du Seigneur : homme à l'âme partagée, inconstant dans toutes ses voies !

Avez-vous la foi un instant et des doutes l'instant d'après ? C'est ça, l'indécision. L'indécision risque chaque fois de détruire la matrice de vos plans. Voici quelques affirmations que vous pouvez utiliser dans ces moments de doute pour raviver votre foi, afin que Dieu puisse subvenir à chacun de vos besoins.

❋❋❋

AFFIRMATIONS

Garde-moi, Ô Dieu: mon refuge est en toi !
(Ps. 16:1)

Ô Dieu, tu es ma ressource abondante et infinie !

Archange de la foi, Michel bien-aimé,
Entoure ma vie de ta protection ;
Que tous les jours ma foi augmente
Que dans la vie Dieu seul est réel.

❋❋❋

Il y a plusieurs années, Mark Prophet nous a donné une formule pour l'abondance, qu'il nous a appris à répéter trois fois par jour pendant cinq minutes sans interruption. Récitez :
« JE SUIS ! JE SUIS ! JE SUIS ! la résurrection et la vie de mes finances ! (3 fois, suivi de) maintenant manifestées entre mes mains et dès aujourd'hui disponibles ! »

« En récitant cette affirmation », dit-il,

« visualisez dans vos mains l'abondance désirée ou la somme d'argent dont vous avez besoin. Continuez cet exercice avec une foi totale dans la lumière de Dieu qui ne faillit jamais jusqu'à ce que vous ayez des résultats.

« Assurez-vous que c'est bien à la volonté de Dieu que vous soumettez votre requête, que vous n'avez d'autre motif que de le servir et le bénir votre vie durant, et que vous êtes prêt, de votre côté, à travailler pour contribuer à l'accroissement de vos ressources. »

AFFIRMATIONS

JE SUIS ! JE SUIS ! JE SUIS !
la résurrection et la vie de mes finances !

(répéter 3 fois)

Maintenant et dès aujourd'hui manifestées entre mes mains !

JE SUIS ! JE SUIS ! JE SUIS !
la résurrection et la vie de mes finances et de l'économie de mon pays !

(répéter 3 fois)

Maintenant et dès aujourd'hui manifestées entre mes mains !

VISUALISEZ

L'attention est la clef ; car là où l'homme porte son attention, là va son énergie, et lui-même ne peut que suivre.

Saint-Germain

Nous devrions toujours commencer nos expériences sur l'abondance en créant une image mentale exacte de ce que nous voulons voir se produire dans nos vies, et en la visualisant sans cesse. « La visualisation est importante », dit Saint-Germain. « Sans cela, rien n'apparaît ».

« Si vous désirez plus de vitalité, vous devez vous visualiser possédant déjà cette vitalité – vos muscles regorgeant de l'énergie de Dieu, votre esprit débordant d'idées remarquables, pétillant de vie, de lumière et d'amour », dit-il. « Vous devez sentir et savoir que les énergies de Dieu coulent jusqu'au bout de vos doigts et de vos orteils, répandant dans l'espace l'éclat d'une santé abondante et une apparence transfigurée.

« À mesure que vous avancez dans la pratique de cet exercice, il se produira, sans effort additionnel de votre part, un effet bénéfique sur ceux avec lesquels vous êtes en contact. Mais veillez à ne pas réclamer de marque de reconnaissance pour ce service ; sans quoi, comme il est écrit dans le Livre de la Vie, "vous n'aurez point de récompense de votre Père qui est aux cieux". »

J'ai découvert que nous pouvons maximiser l'efficacité de nos prières et de nos méditations en utilisant le pouvoir de notre vision intérieure. Mes prières incluent toujours des images animées de ce pour quoi je prie.

Dans vos prières et méditations quotidiennes, essayez de visualiser, comme sur un écran de cinéma, le résultat escompté de vos prières. Voyez se dérouler devant vos yeux ce que vous avez besoin d'accomplir dans chaque domaine de votre vie, votre carrière, vos études, votre famille, votre domicile, votre santé, vos relations, et votre spiritualité.

Visualisez la résolution de situations difficiles. Si dans vos prières vous travaillez avec un maître ou un ange en particulier, voyez-les intercédant en votre faveur. Visualisez la flamme violette consumant tout ce qui fait obstacle à votre abondance spirituelle et matérielle, que ces obstacles consistent en chèques retournés, difficultés relationnelles ou découragement.

Soyez aussi précis que possible dans vos visualisations, et amusez-vous avec elles. Plus vous serez explicite, concentré, et créatif, meilleurs seront vos résultats.

PRATIQUEZ LA SCIENCE DU CONCEPT IMMACULÉ

Tout ce que nous sommes est le résultat de ce que nous avons pensé.

Gautama Bouddha

Un vrai voyage de découverte consiste moins à rechercher de nouveaux paysages, qu'à s'efforcer d'avoir un regard nouveau.

Marcel Proust

Une autre clef de l'abondance créatrice est la pratique de la science du concept immaculé. Le concept immaculé est la représentation pure, abstraite ou concrète du potentiel de l'âme. Pratiquer le concept immaculé signifie maintenir en esprit la plus haute vision du bien pour nous-même et pour les autres.

Mère Marie m'a enseigné que la science du concept immaculé repose sur la visualisation d'une idée parfaite qui, tel un aimant, attire à nous les énergies créatrices de l'Esprit afin de réaliser le projet que nous avons en tête. Selon elle, lorsque nous parvenons à garder nos pensées ancrées sur l'image de l'être spirituel pur que nous sommes, cette image éloigne tout ce qui s'oppose à la manifestation de notre réalité.

Quelle image avez-vous de vous-même ? Prenez le temps de vous poser cette question et écrivez ce qui vous vient à l'esprit. Soyez honnête car vous serez le seul à voir ce témoignage. Si vous dressez une liste de caractéristiques dévalorisantes, ayez conscience que vous attirez cette image dévalorisante de vous-même ; car chaque jour de votre vie vous participez à la création de ce que vous êtes. Ce que vous visualisez de vous-même, vous le deviendrez.

Voyez-vous seulement vos défauts et vos faiblesses ? Ou voyez-vous la beauté de votre cœur ?

Vous voyez-vous comme vous imaginez que les autres vous voient, ou pensez-vous que vous êtes une âme et un esprit avec un vaste potentiel ?

La réaction d'autrui est importante, car nous ne réalisons pas toujours la façon dont les autres nous perçoivent. Comme l'écrit le poète écossais Robert Burns : « Ô quel pouvoir nous est donné de nous voir comme les autres nous voient ! » C'est vraiment un privilège que d'être capable de se voir à travers les yeux d'un autre. Pourtant, nous ne nous rendons pas vraiment service si nous nous regardons exclusivement de l'extérieur.

Il y a une voie médiane. Elle consiste à voir dans notre âme le reflet de notre Christ intérieur et de notre Bouddha intérieur. Il est essentiel que vous gardiez à l'esprit l'image non seulement de ce que vous êtes maintenant, mais aussi de ce qu'est votre moi divin, un reflet de Dieu.

Jésus nous a commandé : « Soyez parfaits, à l'image de votre Père qui est aux cieux. » Il y a une part de nous-même qui reconnaît l'être spirituel que nous sommes, et que nous pouvons devenir chaque jour davantage. Il y a aussi une part de nous-même – l'enfant intérieur qui a été blessé ou meurtri de nombreuses fois – qui manque d'estime de soi, et tend à dévaloriser la flamme spirituelle active au plus profond de nous.

En vous efforçant de comprendre, de guérir et de reconnaître la sensibilité de l'enfant qui est en vous, vous pouvez affirmer le potentiel de votre âme lumineuse par ces affirmations ou d'autres que vous concevrez :

AFFIRMATIONS

Ô Seigneur, JE SUIS parfait,
à l'image de mon Père qui est aux cieux !

JE SUIS, JE SUIS et je vois tout,
Ma vision est droite lorsque j'invoque ;
Élève-moi, libère-moi,
Que je devienne ta sainte image.

JE SUIS la perfection divine de Dieu
Dans mon corps, âme et esprit –
JE SUIS l'autorité de Dieu
Qui me guérit, me garde sain !

JE SUIS l'image parfaite de Dieu :
Mon corps chargé d'amour ;
Que les ombres s'atténuent,
Bénies par le Consolateur !

Détenir le concept immaculé pour vous-même, et pour chacun autour de vous, est détenir un pouvoir spirituel susceptible de transformer votre vie et celle de vos relations.

C'est là le vrai sens du concept « être le gardien de son frère ».

« Combien pouvons-nous être utiles les uns aux autres en appliquant le concept immaculé au plan de vie de chacun ! », dit Saint-Germain. « Que tous, gardiens de leurs frères, aient la plus haute estime pour les possibilités de chacun ».

Le Maître El Morya a écrit la prière suivante pour nous aider à garder le concept immaculé pour nous-même et les autres. Chaque fois que vous dites « JE SUIS » dans cette prière, vous vous référez à votre Moi Divin, et ce faisant, vous affirmez donc « Dieu en moi est… »

PRIÈRE

Au nom de ma bien-aimée Présence JE SUIS, je décrète :

Ô « regard du JE SUIS » en mon âme,
Aide-moi à voir comme toi ;
Que je vois le plan parfait
Dont le pouvoir libère chaque homme.

Ma vision n'est pas double,
La voie est pure et claire ;
JE SUIS celui qui voit la Lumière,
Le Christ de chacun apparaît.

JE SUIS l'oeil que Dieu utilise
Pour voir le plan divin ;
Ici sur terre je choisis sa voie,
Son concept je le fais mien.

Ô Christ aimant, Lumière vivante,
Aide-moi à garder confiance en toi ;
JE SUIS ton concept toujours juste
Ainsi je dois voir comme tu vois.

PURIFIEZ VOTRE SUBCONSCIENT

Il n'y a pas de place pour Dieu en celui qui est plein de lui-même.

Proverbe hassidique

Certains pratiquent assidûment les clefs de l'abondance et n'obtiennent pourtant pas les résultats qu'ils espèrent. Ils s'élèvent un peu et puis se heurtent à un plafond. Pourquoi ? Parce qu'ils n'ont pas nettoyé leur subconscient et qu'ils n'ont pas invité Dieu à faire partie de leur plan.

Supposons que vous ayez décidé de commencer à affirmer et croire: « JE SUIS un ________ qui réussit », (complétez l'affirmation). Mais si vous vous êtes répété pendant vingt ans ou pendant une vingtaine de vies que vous êtes un raté, il va falloir convaincre votre subconscient. Sinon il va vous dire, « je ne te crois pas. »

Notre subconscient est comme un appareil enregistreur. Il enregistre tout ce que nous avons absorbé à travers notre vie et nos vies passées – le bon comme le mauvais. Cela inclut les choses négatives que nous avons entendues et acceptées à notre sujet, et ce à notre grand désavantage.

Chaque fois que vous pensez quelque chose de négatif à votre sujet, chaque fois que quelqu'un vous critique ou vous intimide, votre subconscient enregistre le fait. Parfois, nous ne réalisons pas combien nous avons été influencés par les pensées ou les mots d'autrui, spécialement d'un parent, frère ou soeur, ou d'une figure d'autorité. Ces éléments négatifs sont des pièges qui risquent de réduire nos possibilités d'abondance.

Par exemple, bien trop souvent nous nous assignons des limites en fonction des circonstances présentes – travail, revenu, niveau d'éducation, QI – et de ce que nous pensons être capables d'accomplir. Nous nous disons: « Mon revenu est de tant. J'ai cette sécurité sociale. Mon travail me procure tel salaire, donc dans dix ans, je ne peux être qu'à ce niveau. »

Nous avons tellement pris l'habitude d'être étiquetés et catalogués que nous neutralisons le pouvoir d'abondance de l'âme. Dans les plus hautes sphères de l'esprit, toutefois, notre âme ne connaît pas de limites, et elle veut être libérée de la tyrannie de la programmation négative du subconscient.

Le subconscient non seulement enregistre les impressions négatives, mais comme un magnétophone en mode automatique, il rejoue les enregistrements du passé. Cela demande beaucoup de travail d'effacer ces « enregistrements. » Il se peut que nous ayons besoin des directives d'un psychologue pour nous aider à guérir l'enfant blessé qui est en nous.

Il se peut aussi que nous ayons besoin de reprogrammer notre subconscient avec des messages positifs. C'est à cela que servent les affirmations positives : soutenir la beauté innée et le potentiel positif de notre âme.

Mais quelle que soit la démarche suivie, nous pouvons accélérer notre guérison en l'accompagnant d'un travail spirituel. J'ai obtenu les meilleurs résultats dans le débroussaillage d'enregistrements négatifs du subconscient en utilisant des mantras et affirmations de la flamme violette.

Demandez à votre Moi Supérieur de diriger la flamme violette vers les pensées, les actions et les paroles spécifiques qui ont produit les enregistrements négatifs dans votre subconscient. Visualisez cette flamme violette en train de littéralement brûler ces enregistrements, un à un.

Une autre clef pour travailler avec votre subconscient est de demander à votre Moi Divin de prendre le contrôle des quatre composants de votre esprit : le subconscient, le conscient, l'inconscient et le superconscient.

Ce faisant, nous scellons notre subconscient et notre inconscient de telle sorte qu'ils ne deviennent pas les tyrans de notre âme. Nous dotons aussi notre Moi Divin du pouvoir de générer des énergies et des impulsions positives dans nos subconscient et inconscient.

Quels sont ces quatre compartiments de l'esprit ? Le superconscient est l'esprit d'intelligence infinie à l'intérieur de nous, l'Esprit de Dieu omniscient qui travaille à travers notre Moi Supérieur. Le conscient est l'esprit doué de raison.

Spirituellement parlant, le subconscient correspond à nos désirs – et c'est pour cela qu'ils sont si influents. Ce puissant réservoir d'énergie va faire se manifester vos désirs, quels qu'ils soient.

Lorsqu'il est pollué, le subconscient peut nous causer des dégâts incalculables. Lorsqu'il est clair et qu'il fonctionne d'une manière saine, le subconscient agit comme un trampoline très tendu, catapultant nos plus hautes aspirations dans l'action.

L'inconscient est le niveau le plus profond de notre être et peut exercer un grand pouvoir sur nous, bien qu'il ne soit pas directement accessible à notre conscience. Freud dit que l'inconscient inclut nos impulsions et souhaits primordiaux, de même que des souvenirs et pulsions dont nous ne sommes plus conscients, mais qui peuvent avoir des effets dramatiques sur nos pensées et actions. L'inconscient contient les absolus du Bien et du Mal.

Vous pouvez sceller les compartiments de votre esprit en ordonnant à votre Présence JE SUIS d'occuper et de prendre le contrôle de votre inconscient et superconscient, et à votre Moi Christique Sacré d'occuper et prendre le contrôle de votre subconscient et de votre conscient.

La Présence JE SUIS est cette part de votre moi spirituel qui est la perfection absolue de votre divine réalité. C'est la partie personnelle de l'Esprit qui habite en vous. Votre Moi Christique Sacré est le médiateur entre vous et votre Présence JE SUIS. Le Moi Christique Sacré, aussi appelé Moi Supérieur, est votre maître intérieur, la voix de votre conscience.

Lorsque l'on place les niveaux de notre esprit sous le contrôle de notre Présence JE SUIS et de notre Moi Christique Sacré, et que ceci s'accompagne du travail psychologique et spirituel nécessaire, ces composantes dynamiques de notre être ne peuvent produire que du bien.

PRIÈRE

Ô puissante Présence JE SUIS, entre maintenant, occupe et prends le contrôle de mon esprit superconscient et inconscient !

Ô Moi Christique Sacré, entre maintenant, occupe et prends le contrôle de mon esprit conscient et subconscient !

Après avoir offert à Dieu cette prière (de préférence une fois par jour), vous pouvez réciter vos propres affirmations créatrices pour l'abondance spirituelle et matérielle. C'est une bonne idée de réciter vos affirmations pour chaque compartiment de l'esprit, comme dans l'exemple suivant :

AFFIRMATIONS

Au nom de ma Présence JE SUIS et de mon Moi Christique Sacré, JE SUIS l'abondance parfaite dans mon esprit superconscient !

Au nom de ma Présence JE SUIS et de mon Moi Christique Sacré, JE SUIS l'abondance parfaite dans mon esprit conscient !

Au nom de ma Présence JE SUIS et de mon Moi Christique Sacré, JE SUIS l'abondance parfaite dans mon esprit subconscient !

Au nom de ma Présence JE SUIS et de mon Moi Christique Sacré, JE SUIS l'abondance parfaite dans mon esprit inconscient !

Lorsque vous commencez à travailler sur

votre subconscient et à y fouiller, ne soyez ni surpris ni incommodé si vous voyez des éléments négatifs faire surface plus intensément et plus fréquemment. Plus vous avez de foi, de détermination et de joie, plus vous générerez de lumière spirituelle. Cette lumière plus brillante va naturellement mettre en plein jour les blocages de votre progrès spirituel – ces maladies de votre esprit qui doivent disparaître.

Si vous récitez avec constance des prières et affirmations à la flamme violette telles que celles qui ont été données dans ce livre, vous obtiendrez des résultats. Pour atteindre notre but, il est essentiel que nous entretenions notre croyance en l'affirmation du succès de notre âme face au malheur.

———— ❋❋❋ ————

La destinée n'est pas une affaire de chance, c'est une affaire de choix.

William Jennings Byan

———— ❋❋❋ ————

L'ART DE CRÉER UNE CARTE AU TRÉSOR

Une carte au trésor, c'est une prière en images. Vous pouvez l'utiliser pour capter vos rêves favoris, leur donner une forme tangible et les projeter dans la réalité.

En quelque sorte, une carte au trésor est un modèle de l'abondance spirituelle et matérielle dont vous souhaitez disposer dans votre vie. Comme toutes les bonnes cartes, elle indique les directions et vous permet de ne pas perdre de vue votre destination.

Cette partie du livre vous propose des principes de base à utiliser pour créer une carte au trésor efficace. Vous pouvez adopter quelques-unes de ces idées ou toutes selon le temps dont vous disposez.

Pour maximiser vos résultats, utilisez votre carte au trésor avec les autres principes énoncés dans ce livre, spécialement les neuf étapes de la transmutation et de la méditation concernant la création du nuage, telles qu'elles sont exposées plus loin.

Si vous n'avez pas dressé un plan d'ensemble de la mission de votre vie, je vous suggère de songer sérieusement à le faire. Tous les éléments de votre carte au trésor se placeront dans cette vision panoramique.

PRÉCISEZ LES THÈMES DE VOS RÊVES

Le monde s'ouvre à l'homme qui sait où il va.
Ralph Waldo Emerson

Planifiez votre carte au trésor avant de la créer. Premièrement, faites une liste des rêves que vous souhaitez voir se réaliser dans votre vie. Votre liste peut couvrir carrière, finances, famille, enfants, études, santé, maison, relations, spiritualité, voyages et loisirs.

Vous pouvez aussi créer une carte au trésor collective avec d'autres qui travaillent avec vous sur un projet commun, qu'il s'agisse de vos partenaires financiers, de votre famille, d'un groupe d'amis ou de collègues. Dans ce cas, la liste des rêves s'applique au projet d'équipe.

Une carte au trésor est un condensé de vos plus hautes aspirations. Donc, en établissant votre liste, ne mettez pas de limites à votre imagination, car c'est la source universelle d'abondance qui va subvenir à vos besoins, pas votre moi humain.

❋

Permettez à Dieu de vous inspirer et de vous guider. « Le véritable alchimiste », conseille Saint-Germain, « commence son expérience en communion avec lui-même et son Dieu afin d'être sensible à l'inspiration de l'esprit radieux du Créateur. »

Avant de disposer les images de vos buts sur votre carte au trésor, demandez à Dieu de vous indiquer parmi vos désirs ceux dont il souhaite la réalisation pour vous. Il vous faut être sûr d'employer le meilleur de votre énergie là où Dieu voudrait investir la sienne.

❋

Choisissez en premier les choses essentielles. Parfois, les gens utilisent la carte au trésor pour réaliser un succès financier, mais ils ne sont pas satisfaits sur le plan spirituel. Avant tout, assurez-vous que votre carte au trésor inclut vos buts spirituels. Comme dit le sage Lao Tseu, « De l'argent ou du bonheur: lequel a le plus de valeur ? Si votre bonheur dépend de l'argent, vous ne serez jamais en paix avec vous-même. »

Je crois aussi que l'on devrait être en mesure de justifier ce que l'on place sur sa carte au trésor. Demandez seulement les choses dont vous avez réellement besoin pour remplir le but de votre vie. En pratiquant les clefs de l'abondance, gardez à l'esprit que vous travaillez avec les lois de l'énergie. Et comme le dit Saint-Germain, nous sommes « pleinement responsables de chaque usage ou abus d'énergie » dans notre monde. En fait vous risquez de vous créer du karma négatif si vous utilisez les énergies dont vous disposez pour créer des choses dont vous n'avez pas besoin.

J'en suis venue à comprendre que ce que l'on désire finit par nous arriver. Le désir a un pouvoir magnétique. Veillez donc à mettre le cap sur la bonne direction. Prenez le temps d'analyser vos motifs et d'évaluer vos désirs. Et si Dieu vous accorde plus de ressources que vous n'en avez demandé, c'est qu'il veut que vous partagiez de bon coeur votre abondance avec ceux qui sont plus démunis que vous.

Travaillez avec Dieu et votre Moi Supérieur pour affiner vos idées. Dans ces neuf étapes de la transmutation, Saint-Germain nous apprend à nous en remettre à notre Esprit Supérieur pour éclaircir et perfectionner nos idées.

Prenez le temps de converser avec Dieu et de communier avec votre Moi Supérieur. Écoutez la voix de Dieu qui parle en vous et observez les signes que Dieu vous adresse. Une fois certain de ce dont vous avez besoin, alors vous serez en mesure de dresser votre carte au trésor.

Ne vous inquiétez pas si le lendemain du jour où vous l'avez faite, ou une semaine plus tard, vous avez besoin de la modifier. Votre carte au trésor est en constante évolution.

ÉCRIVEZ VOS RÊVES

Un but est un rêve avec une date limite.

Leo B. Helzel

Votre carte au trésor peut être grande ou petite. Vous pouvez l'afficher sur un mur ou une porte ou l'agrafer dans un carnet.

Si vous choisissez d'afficher votre carte sur un mur ou une porte, utilisez un panneau d'affichage de sorte que vous puissiez y coller des images facilement. Choisissez pour le panneau une couleur que vous aimez vraiment. Vous allez méditer sur votre carte au moins deux fois par jour, donc vous voulez la rendre aussi attrayante que possible.

❋

Vous pouvez représenter plusieurs objectifs sur une même carte ou créer plus d'une carte, chacune dédiée à un besoin différent. Pour certaines personnes, un album est plus commode car chaque page peut être affectée à quelque chose de nouveau.

J'ai appris le pouvoir d'un album-carte au trésor par mon regretté mari et maître Mark Prophet. Alors que je mettais de l'ordre dans ses affaires après sa transition, j'ai mis la main sur un cahier jauni par le temps, qu'il ne m'avait jamais montré et n'avait probablement pas ouvert depuis des années. Je pense qu'il l'avait fait pendant qu'il était dans l'armée de l'air, longtemps avant que je le rencontre.

Mark avait découpé des images de magazines des années 40 et les avait collées dans son cahier. Il avait une photo de la maison de ses rêves entourée d'une clôture blanche. Il avait situé cette maison à Colorado Springs, là où il avait été basé durant son temps militaire. Des années plus tard, ce rêve de Mark s'est réalisé, lorsque nous avons déménagé le siège de notre mouvement dans une superbe propriété à Colorado Springs.

Dans son cahier, Mark avait aussi une photo de la femme idéale qu'il voulait épouser. Ce qui m'est vraiment allé au coeur, c'est que cette photo qu'il avait découpée dans un magazine me ressemblait beaucoup. Donc puisque la carte au trésor a marché pour Mark, elle peut marcher pour vous aussi.

Divisez votre carte ou album en sections

pour chaque domaine de votre vie. Ensuite, choisissez des images et formules qui décrivent exactement ce que vous voulez accomplir dans ces domaines de votre vie.

❋

Représentez toujours quelque chose de mieux que le meilleur de ce que vous vivez présentement. Il est toujours préférable d'aspirer à quelque chose de plus élevé.

❋

Soyez précis en sélectionnant les images et inscriptions de votre carte. Montrez et dites exactement ce que vous voulez, incluant la taille, la dimension, la couleur, les lieux et les dates limites.

Par exemple, en représentant les finances dont vous avez besoin, mettez sur votre carte de l'argent, des images de pièces d'or ou un chèque à votre nom du montant exact qui vous est nécessaire. Si vous avez besoin d'une voiture ou d'une maison, inscrivez toutes les caractéristiques qu'il vous faut, et si possible, utilisez une image exacte de ce que vous voulez. Dans la section carrière de votre carte, vous pouvez montrer quelqu'un qui pratique la profession que vous désirez embrasser.

N'oubliez pas de mentionner à quelle date vous voulez que vos objectifs se réalisent et l'endroit exact où vous désirez que vos rêves deviennent réalité.

En 1961, quand Mark Prophet et moi cherchions à établir le siège du Phare du sommet (The Summit Lighthouse), nous avons cherché dans tout Washington, D.C. Ensuite nous avons cherché dans le Maryland et en Virginie, et nous n'arrivions toujours pas à trouver ce que nous voulions. Nous priions pour cela, et finalement nous demandâmes à Dieu comment il se faisait que nous n'arrivions pas à trouver le bon endroit. La réponse vint comme un éclair : il nous fallait être plus précis.

Parce que nous avions encore une vision floue de ce qu'il nous fallait, nous n'aboutissions nulle part. Une fois que nous nous sommes assis et que nous avons déterminé exactement ce que nous voulions, où nous le voulions, quand nous le voulions et combien d'argent il nous fallait pour l'acheter, le tout s'est mis en place.

❋

Utilisez des photos et images en couleur pour votre carte. L'imagination répond bien aux couleurs.

❋

Une façon efficace d'organiser votre carte au trésor est de procéder selon le « bagua », un modèle qui provient du Yi Ching et qui est utilisé dans l'art oriental du feng shui. Le bagua est un modèle archétype de changement personnel et universel. Il a la forme d'un octogone et décrit les mouvements de l'énergie, ou chi, dans les huit espaces de vie.

Le feng shui est l'art d'aménager notre environnement extérieur pour créer harmonie et équilibre dans notre vie. Les anciens qui pratiquaient le feng shui savaient que notre environnement extérieur reflète les conditions de notre vie, et vice-versa. Ils enseignaient donc qu'en ordonnant notre environnement pour être en harmonie avec l'ordre naturel, nous pouvons atteindre le bonheur et la prospérité. C'est là où le bagua entre en jeu.

Tout notre espace – notre maison, chaque

pièce, notre bureau, notre jardin, notre voiture – est une extension et un reflet de nous-même. Puisqu'il en est ainsi, nous pouvons superposer le diagramme du bagua sur tout espace pour diagnostiquer ce qui se passe dans notre monde. Et en nous centrant sur chacune des huit sections de cet espace, nous pouvons

Abondance Bénédictions	Renommée Éducation	Partenariat Amour Mariage
Santé Famille	☯	Enfant Créativité
Connaissance Connaissance de Soi Spiritualité	Carrière	Amis Voyage

influencer ce qui se produit dans les domaines correspondants de notre vie.

En appliquant cela à la carte au trésor, nous pouvons plaquer le schéma du bagua sur notre carte au trésor personnelle et placer des images de nos rêves dans les sections correspondantes. Pour superposer le bagua sur votre carte au trésor, alignez le bas de la carte avec le bas du bagua.

Le feng shui nous enseigne aussi que tout encombrement arrête le flot d'énergie. Si un certain espace est encombré, l'énergie va stagner, et il peut y avoir des blocages dans la partie de notre vie correspondant à cet espace. Réciproquement, lorsque nous améliorons et embellissons un certain espace, nous augmentons le flot d'énergie dans le domaine correspondant de notre vie.

Prenez le temps d'évaluer ce qui se passe dans les huit espaces de votre vie tels qu'indiqués dans le bagua. Y a-t-il un blocage quelque part ? Les choses sont-elles arrêtées ?

Maintenant observez votre environnement – votre maison, vos pièces, votre espace de travail, même votre garage. L'énergie est-elle libre de circuler, ou stagne-t-elle à cause d'un encombrement ?

Parfois, un bon nettoyage de printemps suffit à régénérer notre monde spirituel, mental, émotionnel et physique. Le feng shui, bien entendu, touche à plus de détails et de subtilités, mais avec ces principes de base, nous pouvons déjà accroître le flot d'abondance spirituelle et matérielle dans nos vies.

Nous pouvons aussi appliquer le principe d'encombrement à nos cartes au trésor. Si nous créons une carte au trésor claire et non encombrée selon les données du bagua, et que nous illustrons exactement ce que nous voulons dans chaque section, l'énergie peut circuler plus librement pour façonner les schémas de nos désirs.

Et que doit-on mettre au centre de la carte ? Certains systèmes de feng shui placent le T'ai Chi au centre. Le T'ai chi est le symbole chinois qui représente l'interaction et l'intégration harmonieuses des forces yin (féminin) et Yang (masculin) de l'univers.

Le centre du bagua et de votre carte au trésor représente l'unité. C'est le pivot de toutes les sections. Le centre est aussi l'endroit où nous fortifier avant que les graines que nous avons plantées ne commencent à fleurir. C'est le point de repos et de renouvellement avant la prochaine poussée de croissance.

Donc que devrait-on mettre au centre de la carte ? Cela dépend de l'objectif de la carte. Si votre carte a un thème principal, vous pouvez mettre une illustration de ce thème au centre. Si pour vous l'essentiel est d'atteindre votre but en un temps donné, vous pouvez inscrire cette date butoir au centre. Peut-être préférerez-vous placer au milieu quelque chose qui dépeigne votre centre d'intérêt – peut-être l'énoncé de votre mission ou un symbole de votre spiritualité. Soyez créatif et imaginatif !

❋

Pour accroître le flux d'énergie irriguant vos projets, vous pouvez afficher votre carte au trésor dans la partie de votre maison ou l'angle d'une pièce qui, selon le diagramme du bagua, représente ce sur quoi vous vous centrez.

Quand vous superposez le schéma du bagua sur une maison ou une pièce, la porte d'entrée ou la porte de la pièce doit se trouver dans la partie inférieure du diagramme. En d'autres termes, la porte s'ouvre dans la partie connaissance, carrière et amis serviables.

Voici comment vous y prendre. Si vos préoccupations sont, par exemple, d'ordre financier, vous pouvez afficher votre carte au trésor financière dans la section richesse de votre maison ou de votre pièce, (coin en haut à gauche). Une carte au trésor faite pour favoriser les relations humaines se placera, elle, dans la section relationnelle de votre maison ou votre pièce (coin bas à droite).

Disposez des images d'un ou plusieurs Maîtres Ascensionnés sur votre carte au trésor. Les Maîtres Ascensionnés sont les saints et les sages de l'Orient et de l'Occident qui se sont unis à Dieu. Ils appuient, en coulisse, nos projets et travaux afin de nous aider.

Des images de vos Maîtres favoris vous rappelleront qu'ils sont vos partenaires et qu'ils travaillent avec vous pour vous aider à accomplir vos buts.

❋

S'il vous est possible d'entrer dans les détails, **mettez des photos de vous prises dans des moments de réussite à différentes époques de votre vie.** Vous pouvez dessiner un graphique montrant ce que vous voulez obtenir immédiatement et ce que vous désirez accomplir plus tard dans votre vie.

❋

Accompagnez vos images de textes et d'affirmations décrivant vos besoins. Je vous suggère de parler de vos objectifs comme si vous les aviez déjà atteints. Vous pouvez aussi les faire précéder d'une prière à votre Présence JE SUIS et votre Moi Christique Sacré pour ainsi attester que l'accomplissement de vos buts passe par le pouvoir divin qui est en vous.

Ainsi pourriez-vous dire : « Au nom de ma Présence JE SUIS et de mon Moi Christique Sacré, JE SUIS empli de compassion » ou « Au nom de ma Présence JE SUIS et de mon Moi Christique Sacré, JE SUIS victorieux de________ » ou « JE SUIS diplômé de mes études en ________ ».

❋

Représentez ou décrivez les offrandes que vous voulez faire à Dieu en retour des bénédictions que vous sollicitez. En réalité, on n'obtient jamais rien sans rien. Chaque goutte d'énergie que Dieu nous donne a son « coût ».

La loi divine est claire : quand nous donnons à la vie, nous recevons de la vie. Si nous arrêtons de donner de nous-même, nous arrêterons de recevoir. J'ai découvert qu'en fait on attend que nous donnions plus à l'univers que ce que nous en espérons.

Peut-être serait-il bon d'écrire une lettre à Dieu pour accompagner votre carte au trésor. Dans la lettre, inscrivez ce que vous ferez en retour de l'assistance divine, par exemple, travailler bénévolement pour les personnes démunies ou âgées, prendre soin des malades ou adopter des enfants.

Nous disons : « Dieu, s'il vous plaît, aidez-moi à accomplir ce but, et en échange je ferai cela pour vous. » Mais soyez réaliste. Ne promettez pas plus que ce que vous pouvez donner. Une fois la lettre écrite, gardez-en un double comme rappel de votre promesse, et brûlez l'original.

❋

N'encombrez pas votre carte de trop d'images et d'affirmations. Faites plusieurs cartes si vous trouvez que vous avez trop de choses à mettre sur une seule.

❋

À moins que vous ne fassiez une carte au trésor avec un groupe pour un objectif collectif, **gardez pour vous votre carte. Mettez-la dans un endroit où il y a une énergie positive et stimulante.** Par exemple, ne la mettez pas dans la partie de votre maison ouverte à des visiteurs, et ne la laissez pas tomber sous les yeux de quelqu'un qui pourrait dénigrer vos plans.

FAITES DE VOS RÊVES UNE RÉALITÉ

Si vous pouvez le rêver, vous pouvez le faire.
Walt Disney

Une fois que vous avez créé et affiché votre carte au trésor, méditez sur votre carte au moins deux fois par jour, peut-être au lever et avant de vous coucher. En faisant cela, lisez vos affirmations à voix haute. Renforcez-les en ressentant et en croyant que vous avez déjà atteint vos buts. Si vous avez une carte pour la famille ou un groupe, répétez les affirmations avec ceux qui font partie de votre alliance.

La répétition est importante pour le subconscient. Elle renforce nos désirs légitimes. Chaque fois que vous prononcez une affirmation, l'esprit conscient plante la graine, et l'inconscient l'arrose.

❋

Soumettez consciemment vos requêtes à Dieu et demandez-lui de les accomplir selon sa volonté.

Souvenez-vous que c'est Dieu en réalité qui va accomplir le travail pour la réalisation de vos requêtes, même si vous pouvez être l'instrument par lequel il oeuvre. Car comme Moïse dit aux Israélites, « Ne dites pas : " J'ai acquis ma fortune grâce à mes capacités et à la force de mon poignet ", mais souvenez-vous du Seigneur votre Dieu, car c'est lui qui vous donne le pouvoir d'obtenir la richesse. »

❋

Maintenez un dialogue continuel avec Dieu. Au milieu du tohu-bohu de la journée, prenez un petit peu de temps pour parler à Dieu. Et souvenez-vous que la prière est une voie à double sens – n'oubliez pas d'écouter sa réponse. La synergie avec le sacré est la clef de l'abondance créatrice.

❋

Ne soyez pas attaché aux résultats de vos requêtes et n'anticipez pas la façon dont vos désirs vont se réaliser. C'est à Dieu de décider.

Si nous avons un esprit obsédé par une seule idée, nous limitons nos choix. Quand nous sommes trop attachés à un projet ou anxieux, nous ne sommes pas ouverts aux surprises ou à de nouvelles opportunités qui peuvent nous attendre à un détour. Parfois, Dieu trouve une meilleure façon de répondre à nos besoins que celle que nous avions anticipée.

⁂

Mettez tout votre cœur à l'accomplissement de vos rêves. Faites les pas nécessaires pour faire rouler la boule vers le but. Nous obtenons tout ce que nous voulons de la vie à partir du moment où nous le voulons vraiment et sommes déterminés à l'obtenir.

⁂

Développez vos méditations sur votre carte au trésor par des affirmations et mantras à la flamme violette pour transmuer le karma qui empêche la réalisation de vos rêves.

Le facteur X dans la réalisation de notre abondance spirituelle et matérielle est toujours le karma. Nous avons beau vouloir aller dans une certaine direction, notre karma nous entraîne vers de petites routes qui semblent nous éloigner de la ligne droite de notre mission.

Pourtant, faire face au karma doit être notre première priorité. Chaque jour, une certaine quantité du karma négatif que nous avons créé dans le passé nous est remis pour être résolu. Peut-être ce karma se traduit-il par une panne de voiture ou une rupture d'amitié. Toujours est-il que les choses ne semblent pas se dérouler comme elles le devraient.

La flamme violette agit comme de l'huile dans les rouages ; elle fait tourner les choses plus en douceur. Si nous y avons recours en plus du service et de la dévotion à Dieu, elle peut nous permettre de transmuer le karma négatif qui pourrait interférer avec notre mission.

Je me souviens de l'époque où tout ce que je savais du but de ma vie, c'était que je devais faire quelque chose pour Dieu et que je devais trouver ce que c'était. Puisque je ne savais pas ce que c'était, c'était devenu ma mission de le trouver. Donc chaque jour, en grandissant, je poursuivais les objectifs qui me paraissaient pouvoir me rapprocher de la découverte de ma mission.

Quand je découvris finalement ma mission, mon plus grand désir fut de me libérer des obstacles qui pouvaient m'empêcher de la réaliser. Je compris qu'ils me venaient, d'une part de mon karma, de l'autre d'éléments de ma psychologie.

J'ai saisi que si je prenais au sérieux l'accomplissement de ma mission, je devrais transmuer ce karma grâce à la flamme violette et travailler à résoudre mes problèmes psychologiques. J'ai réalisé aussi qu'il me fallait développer une plus grande maîtrise de moi afin de pouvoir faire face aux défis de ma mission. C'est le genre de travail auquel nous devons nous adonner si nous voulons tirer le maximum de nos opportunités d'abondance créatrice.

Souvenez-vous de vos promesses à Dieu. Rendez à Dieu ce que vous lui aviez promis. N'attendez pas d'avoir des résultats pour commencer à donner. Commencez à remplir la partie de votre contrat immédiatement.

Mettez votre carte au trésor à jour selon

le besoin. Si vous avez besoin d'une nouvelle carte, c'est bon signe ! Cela veut dire que vous faites des progrès. Soit vous avez rempli votre première série d'objectifs, soit vous avez précisé la destination que vous voulez atteindre et la voie que vous allez emprunter pour y parvenir.

Si vous devez faire une nouvelle carte, brûlez l'ancienne, prenez une nouvelle affiche et retournez à la page 47.

LES NEUF ÉTAPES DE LA TRANSMUTATION

Par Saint-Germain

Qui peut mettre des limites aux possibilités de l'homme ?[…] L'homme a accès à l'esprit infini du Créateur, et est lui-même le créateur dans le fini.

Ralph Waldo Emerson

L'Alchimie est la science du mystique et c'est la force de l'homme accompli qui, ayant cherché, s'est trouvé ne faire qu'un avec Dieu et est désireux de tenir son rôle.

Saint-Germain

1

La Lumière est la clef alchimique ! Les mots « **que la lumière soit** » sont le premier fiat de la création et la première étape de la transmutation.

———— ✲✲✲ ————

AFFIRMATIONS

Que la Lumière soit !
Que la Lumière soit où JE SUIS CELUI QUE JE SUIS !

———— ✲✲✲ ————

2

Créez une image mentale de l'objet que vous désirez produire. Elle doit avoir, et de façon précise, une taille, une proportion, une substance, une densité, une couleur et une qualité données.

Que chaque novice en alchimie ait conscience d'avoir en lui un Esprit Supérieur capable de contenir des schémas de dimensions infinies. Cet Esprit fonctionne indépendamment de l'esprit extérieur sans aucune restriction humaine.

Acquérez l'habitude de donner consciemment à cet Esprit Supérieur béni, ou Moi Christique, la responsabilité de créer et de perfectionner les idées fécondatrices et les schémas de votre création. Bon nombre de ces schémas, qui de prime abord semblent être consciemment conçus par l'alchimiste, ont fréquemment leur origine au sein de cette partie supérieure du Moi béni.

Souvenez-vous que votre Esprit Supérieur est actif vingt-quatre heures sur vingt-quatre et au-delà de toute mesure. Ce consolateur béni, que vous ne connaissez pas ni n'avez contacté extérieurement, attend d'être appelé pour entrer en action et agir librement hors des limites ordinaires du temps et de l'espace.

Employez donc votre Esprit Supérieur, autant en qualité de novice qu'en qualité de maître ; car le Saint Esprit de vérité vous pénétrant peut vous conduire à toute vérité !

AFFIRMATION

JE SUIS la vie régie par Dieu,
Brille en moi ta Vérité.
Concentre la Perfection de Dieu,
De toute discorde libère-moi.

Maintiens-moi à jamais ancré
Dans la Justice de ton plan –
JE SUIS la Présence de Perfection
Vivant la Vie de Dieu en l'homme !

(répéter trois fois ou par multiple de trois)

3

Déterminez l'endroit où vous désirez que l'objet se manifeste.

4

Si vous connaissez la substance matérielle de sa composition, mémorisez sa structure atomique. Sinon, demandez à l'Intelligence Divine de votre Esprit Supérieur de saisir pour vous cette structure dans l'Intelligence Universelle, et de la transcrire dans la mémoire de votre corps et de votre esprit.

5

Demandez que la lumière sature la structure atomique que vous détenez, qu'elle se fusionne autour, et se « densifie » au point de prendre forme.

6

Demandez la multiplication de cette structure atomique jusqu'à ce que les molécules de substance commencent à emplir le vide occupant l'espace où vous désirez que l'objet apparaisse.

7

Une fois cet espace entièrement occupé par le champ vibratoire de quatrième dimension figurant la manifestation désirée, **demandez que se produise le précipité complet de la densité atomique en la forme et la matière tri-dimensionnelles à l'intérieur du moule contenu dans la matrice de votre esprit.**

8

Dès que vous visualisez parfaitement le modèle, scellez-le. Ne pensez pas qu'en le scellant vous fermez la porte à l'amélioration de son schéma. Des améliorations peuvent être apportées aux modèles suivants. Les mots « C'est accompli ! » sont alors le deuxième fiat de création après « Que la lumière soit ! »

Ces paroles dites par le bien-aimé Jésus à l'heure de sa plus grande épreuve, « **Néanmoins, que ta volonté, et non la mienne, soit faite,** » lorsque vous les prononcez au moment où vous scellez la matrice, vous donnent l'assurance que les forces directrices de pouvoir, sagesse et amour viendront amender le modèle précipité là où c'est nécessaire, afin que les plans plus parfaits du Créateur puissent s'accomplir. Ceci donne à l'homme le bénéfice additionnel de l'assistance du Tout-puissant quand il forme et développe ses projets de vie personnels en accord avec les desseins de la Providence.

Protégez votre expérience par un effort réfléchi et une méditation profonde. Visualiser une lumière bleue autour de vous, de votre projet et de sa manifestation vous permettra de focaliser la protection désirée.

AFFIRMATIONS

C'est accompli !

Néanmoins, que ta volonté soit faite
et non la mienne.

JE SUIS la volonté divine ici,
JE SUIS la parfaite volonté divine,
JE SUIS la précieuse volonté divine,
JE SUIS le Dieu qui répand l'abondance.

9A

Maintenant que vous avez créé une matrice-pensée et l'avez scellée contre l'intrusion de radiations spirituelles envahissantes émanant d'autrui, protégez votre création virtuelle, et comme le dit Jésus, « Allez **et n'en**

parlez à personne ». Cette loi de la transmutation vous permet de détourner les rayons concentrés de pensée humaine et les excès d'émotions, qui peuvent être des plus perturbateurs pour le succès d'une expérience alchimique.

Évitez donc qu'une multiplicité d'avis ne dissipe l'énergie sauf dans le cas particulier où deux personnes ou plus coopèrent à une même transmutation.

9B

Attendez les résultats. Ne soyez pas anxieux si la manifestation ne se produit pas immédiatement, ou si, après un délai raisonnable, il vous semble que les résultats tardent à apparaître. Le découragement détruit la foi sur laquelle repose votre expérience. Vous devez **garder votre foi** de même que vous gardez en mémoire la fragile esquisse de votre image mentale.

Si vous avez passé des années sous l'emprise d'émotions humaines, **les enregistrements de ces émotions doivent être consumés par les feux alchimiques de la flamme violette** pour laisser place aux idées et aux formes plus nobles que vous aimeriez projeter.

AFFIRMATIONS

Feu violet, Amour divin,
Flamboie au sein de mon cœur !
Toi Compassion toujours vraie,
Garde-moi en harmonie.

(répéter trois fois ou par multiple de trois)

JE SUIS Lumière, Christ en moi,
Viens, libère mon esprit ;
Feu violet, brille à jamais
Tout au fond de mon esprit.

Dieu qui me donne mon pain,
Feu violet remplis ma tête,
Pour que ton éclat céleste
Rende mon esprit Lumière.

(répéter trois fois ou par multiple de trois)

JE SUIS la main de Dieu en action
Qui chaque jour gagne la victoire ;
Le bonheur suprême de l'âme
Est le Chemin du Milieu.

(répéter trois fois ou par multiple de trois)

Bien-aimée Présence JE SUIS,
Scelle-moi du tube de Lumière
Flamme des Maîtres Ascensionnés
Invoquée au nom de Dieu.
Garde mon temple toujours libre
De toute discorde projetée.

JE SUIS, j'invoque le feu violet
Pour qu'il transmue tout désir,
Au nom de la Liberté
JE SUIS uni à la flamme violette.

(répéter trois fois ou par multiple de trois)

En toute confiance, j'accepte consciemment que cela soit manifeste, manifeste, manifeste ! (3x) Ici et maintenant avec tout Pouvoir, éternellement soutenu, toute puissance agissante, se répandant à jamais et enveloppant le monde jusqu'à ce que tous soient pleinement ascensionnés dans la Lumière et libres !

Bien-aimé JE SUIS ! Bien-aimé JE SUIS ! Bien-aimé JE SUIS !

9c

Vous devez donner à vos nouvelles idées temps et énergie.

Ô combien important est le service de la prière ordonnée ! La prière ouvre la porte à l'intervention de Dieu dans les affaires humaines. Elle est l'avenue par laquelle les maîtres ascensionnés et les êtres cosmique qui désirent être utiles à la planète-terre peuvent porter une assistance spéciale, parce qu'ils ont été appelés à cette fin. Car la loi décrète que les hôtes célestes doivent être requis par des membres de l'humanité, doivent être invités à intervenir, avant qu'il leur soit permis d'intercéder en faveur de l'humanité.

Pour l'alchimiste, la prière a de multiples mérites. En plus des bénéfices sus-mentionnés, elle lui donne un élan qui accroît ses pouvoirs puis le rapproche du but de la vérité divine au moment où la manifestation physique se dégage du moule mental.

Souvenez-vous, c'est de l'art divin du plus haut niveau. C'est aussi une co-création avec Dieu, de sorte que les plus aptes à en bénéficier sont ceux dont les motifs sont parallèles au divin. Ainsi, lorsque la volonté de l'homme est alignée sur celle de Dieu, la lumière de Dieu ne manque pas de transmuter cette volonté en plénitude de temps, espace et opportunités.

Alchimistes du feu sacré, voici la formule cosmique sacrée:

Theos = Dieu

Rule = Loi

You = Être

Theos + **R**ule + **Y**ou = La loi de Dieu active en tant que Principe à l'intérieur de votre être (**TRY** = essayer).

NDT: Saint-Germain utilise le verbe essayer (en anglais « **TRY** »), comme acronyme pour illustrer un principe essentiel de l'alchimie créatrice: la seule façon de réaliser avec succès une expérience alchimique est de laisser Dieu (**T**heos) vous (**Y**ou) diriger (**R**ule).

MÉDITATION SUR LA CRÉATION DU NUAGE

Par Saint-Germain

Avec Dieu, toutes choses sont possibles ! Si vous êtes en relation directe avec lui, alors toutes choses sont, en fait, immédiatement possibles pour vous. Si ce n'est pas là votre expérience spontanée, alors, vous avez besoin de renforcer vos liens avec lui…

Le nuage, en tant que manifestation du pouvoir de votre énergie créatrice, feu de votre Esprit, va attirer dans votre monde la conscience de Dieu lui-même.

Saint-Germain

Un des moyens les plus efficaces par lequel un changement peut être produit est ce que j'appellerai « la création du nuage. » Je me réfère à un nuage d'énergie infinie qui est partout présent, mais nulle part visible jusqu'à ce qu'il soit appelé à se manifester.

Tout au long de ce rituel, votre conscience doit être gardée pure, chargée d'amour, convaincue du potentiel infini de l'esprit cosmique de Dieu et complètement identifiée à tout élan constructif. Souvenez-vous que c'est la pratique qui rend parfait, que c'est le mobile qui transfigure la création, que c'est la beauté qui cheville l'âme.

1

Tenez-vous maintenant devant votre autel, honorant le Dieu vivant et son fiat « prends possession ! » Vous allez commencer à créer, et vous allez d'abord créer le nuage à partir de l'énorme pouvoir de Dieu entreposé dans chaque point de l'espace, et qui attend d'être invoqué.

2

Nous allons commencer par créer dans notre mental un rayonnement lactescent, et nous allons voir dans ce rayonnement lactescent l'action vibratoire électronique d'une lumière vitale, mouvante, ineffable. La concentration de la lumière est ce qui donne cette couleur d'un blanc laiteux.

3

Ayant créé dans notre mental cette forme semblable à un brillant nuage translucide, **nous la laissons entourer notre corps physique et occuper notre champ de force.** Pendant un moment, nous sommes perdus au milieu de ce nuage, ensuite, c'est comme s'il avait toujours été là. Son atmosphère est familière, confortable.

4

Que ce nuage brillant et radieux soit, au commencement, de trois mètres de diamètre autour de nous. Plus tard, peut-être, nous l'étendrons à un diamètre de trente mètres, puis de trois cents mètres, et davantage. Dans nos premières méditations, **nous nous concentrerons pour intensifier l'action de la lumière**

blanche dans notre esprit. Une fois renforcée la sensation de ce nuage autour de notre corps physique, nous admettrons que, bien que ce nuage puisse être rendu visible à l'oeil physique, notre première préoccupation devra être de garder son action hautement vibratoire sur un plan purement spirituel.

5

Ceux d'entre vous qui sont familiers avec l'électronique et le fonctionnement d'un rhéostat comprendront qu'en tournant simplement le bouton de la conscience, nous pouvons **intensifier l'action vibratoire du nuage. Nous faisons fusionner davantage de lumière autour de chaque point central de lumière ;** car notre nuage est composé de nombreux points lumineux dont les halos se diffusent et se mêlent les uns aux autres, avec un effet de dentelle mais d'un rayonnement très concentré, un pur nuage tourbillonnant d'énergie cosmique.

Nous augmentons l'action de la lumière à l'intérieur de son champ de force — plus qu'elle ne se manifesterait normalement dans un endroit donné. Nous attirons par là même le pouvoir universel de Dieu pour produire ce nuage. **Il commence à pénétrer puis sanctifier notre champ de force immédiat, afin que nous puissions avoir un autel spirituel sur lequel projeter les images de la réalité que nous désirons créer.**

6

Ce nuage peut être utilisé à des fins thérapeutiques pour la guérison des nations et l'âme d'une planète. Vous pouvez aussi l'utiliser comme une tribune d'où invoquer, comme le Christ l'a fait sur le Mont de la Transfiguration, la présence des Maîtres Ascensionnés pour vous assister dans vos expériences alchimiques et dans votre service à la vie.

Là où vous ne savez au juste que réaliser pour vous-même et les autres, vous pouvez, à la manière innocente des enfants, demander à Dieu d'accomplir, en puisant dans son immense réservoir de Lumière-Énergie, un miracle d'amour pour soulager, non seulement votre vie et celle de ceux que vous aimez, mais aussi la vie des multitudes d'êtres qui sont sur terre.

Vous pouvez demander que le pouvoir de Dieu et du royaume des cieux se manifeste sur la terre. Vous pouvez demander que naisse l'âge d'or, et que cessent les querelles et les luttes. Vous pouvez demander que l'amour règne sur le monde.

Si vous voulez ouvrir votre coeur aux besoins du monde et à l'amour de la Mère Divine qui cherche à s'exprimer à travers votre conscience élevée, vous serez submergé d'idées pour vous mettre au service du monde.

7

Demandez à Dieu d'accroître le potentiel du nuage en récitant la prière suivante.

PRIÈRE

Au nom du Père, du Fils et du Saint Esprit, je commande à des milliards de points de lumière de se développer, de concentrer plus de feu sacré, d'accroître le puisssant potentiel du nuage flamboyant, et d'être la brillance, l'ineffable lumière de Dieu Tout-Puissant, vitale et mouvante, la lumière même du nuage de ma propre Puissante Présence JE SUIS, là où JE SUIS.

Par l'autorité de la loi universelle de Dieu, je décrète cette chose sainte, Ô Dieu. J'accepte que cela soit fait au nom de mon bien-aimé Moi Christique Sacré. Et regardez, je vois que cela est fait, et c'est fait là où JE SUIS.

Mon Moi Christique, soutiens la vision, exerce sur elle l'oeil de Dieu, et fais en sorte que je connaisse et fasse l'expérience de cette expansion. Car en effet, JE SUIS le nuage. Le nuage est en moi.

JE SUIS le rayonnement blanc hautement concentré.

JE SUIS la cause derrière l'effet du nuage.

JE SUIS l'aimant du grand Soleil Central en mon coeur, magnétisant le nuage d'énergie infinie là où JE SUIS.

JE SUIS un nuage pur, tourbillonnant d'énergie cosmique!

———— ※※※ ————

8

Assignez à ce nuage irradiant de bril-

lante énergie un but particulier avec la prière suivante.

———— ❋❋❋ ————

PRIÈRE

Seigneur Dieu Tout-Puissant, Ô Brahman, Ô Verbe, j'ordonne que ce nuage d'énergie infinie soit maintenant réduit dans ou sur ________________ (nommez l'endroit ou la situation).

Depuis la terre, la mer, depuis la haute atmosphère, JE SUIS maintenant l'autorité du nuage de feu blanc dans sa manifestation spirituelle. Par la triple flamme de mon coeur, JE SUIS celui qui commande la cristallisation du nuage de l'Esprit en Matière.

Que ce nuage de Dieu consume à présent ________________ (nommez les situations personnelles ou mondiales qu'il convient d'apaiser ou résoudre).

Je demande et JE SUIS l'émission du brillant nuage d'énergie.

Ainsi soit-il. C'est fait. C'est accompli. C'est scellé.

Le zèle du Seigneur l'accomplira ! Amen.

———— ❋❋❋ ————

9

Une fois que vous avez maintenu la vision du nuage et avez confié le soin de la préserver à votre Moi Supérieur, à vos facultés divines latentes en vous, votre Présence Divine va en prolonger la durée pendant la période requise.

Avec le temps, vous vous apercevrez que l'éclat lumineux du nuage va se répandre doucement à travers votre corps physique. Et cela s'accompagnera d'un affinement de l'esprit et d'une nouvelle conscience de la vie, en tout domaine.

En gagnant du pouvoir spirituel au cours de ces périodes de méditation sur le nuage – qui ne doivent pas excéder quinze minutes par jour pour commencer –, comprenez que **le nuage créateur va continuer à se répandre à travers l'univers comme un globe de feu blanc translucide,** et gagner des sphères de plus en plus larges pour contacter tout ce qui est réel et ce qui est réellement vôtre.

SECRETS DE LA PROSPÉRITÉ

Par Mark L. Prophet

Rien de ce que nous avons imaginé n'est au-delà de notre pouvoir, seulement au-delà de notre présente connaissance de nous-mêmes.

Théodore Roszak

Dans la Bible, l'Apôtre Jean a dit, « Bien-aimés, j'espère par-dessus tout que vous pourrez prospérer et être en bonne santé, en même temps que votre âme prospère. »

La prospérité est abondance. Le Seigneur Christ, lorsqu'il enseignait en Judée, a dit, « JE SUIS venu pour qu'ils aient la vie, et qu'ils l'aient en abondance. » D'une manière ou d'une autre, les gens ont l'habitude de mal interpréter la pensée du Maître et sans le vouloir vraiment s'en détachent et s'opposent au dessein de la Déité.

De nos jours, de toute évidence, personne d'entre nous ne pourrait souscrire à un programme de partage des richesses, où nous rassemblerions tout l'argent de la planète en un seul lieu pour le fractionner et remettre à chacun sa part. Il est probable qu'au bout de sept années, tout l'argent retournerait à son lieu d'origine.

Ceci est vrai car l'attribution divine de la richesse sur cette planète se produit selon des schémas karmiques et selon la loi karmique. Dans la plupart des cas, chaque personne qui a de l'argent a le droit de le posséder en accord avec son karma – même si elle ne l'a pas acquis dans une vie, mais qu'elle en a hérité ou l'a gagné à la loterie. L'argent vient aux gens parce qu'il y a quelque chose dans leur Corps

Causal qui attire à eux cette richesse. Et lorsque vous pratiquez les lois de la prospérité, vous vous créez du bon karma, et vous commencez ainsi à attirer à vous la prospérité.

PREMIER SECRET

N'ENTRAVEZ JAMAIS LE FLOT DE VOS ÉNERGIES

Ce n'est pas la possession d'argent qui rend une personne meilleure ou pire. Pas du tout. La détention d'argent – comme chaque talent ou don accordé par Dieu – entraîne une responsabilité. Et quand vous avez beaucoup d'argent, ou même seulement un peu, c'est une forme de prospérité qui ne devrait pas être stagnante comme la Mer Morte.

Le fleuve Jourdain se déverse dans la Mer Morte, mais il n'y a absolument rien qui s'écoule de la Mer Morte. Cette image a été beaucoup utilisée dans les cours de catéchisme pour illustrer certaines lois spirituelles. Chaque fois qu'il y a quelque chose qui prend continûment sans donner, cela devient un symbole de mort ou de stagnation, car où il n'y a pas de courant, il n'y a pas de mouvement.

Le sang coule à travers le corps entier et retourne aux poumons par le coeur pour s'oxygéner. Tout le monde le sait, c'est de la physiologie de base. Mais il y a quelque chose d'assez terrible : dès l'instant où se bouche une artère, vous avez véritablement un problème.

Vous vous demandez peut-être pourquoi je parle de cela. Beaucoup de femmes, et d'hommes aussi, ont des varices. Les docteurs peuvent faire une opération qui consiste à obturer certains vaisseaux et à arrêter là tout simplement la circulation sanguine.

Le cas d'une femme ayant subi cette opération a été relaté par un médecin dans un livre qui expose certaines mauvaises pratiques en usage dans les hôpitaux et la profession médicale. Deux jours après que le docteur eut obturé ce vaisseau sanguin, elle se rendit compte que ses orteils étaient enflammés et douloureux. Puis elle s'aperçut qu'ils changeaient de couleur, devenaient noirs et ensuite que son pied tout entier changeait de couleur. Lorsqu'elle retourna chez le docteur c'était trop tard, et elle perdit son pied. Il était devenu gangréneux, pour n'avoir pas été irrigué par le sang.

Je pense que peu de gens réalisent le merveilleux travail que fait la nature pour entretenir la circulation dans notre système sanguin. Eh bien, la prospérité est tout aussi naturelle aux enfants de Dieu que la circulation du sang. Et l'un des secrets de la prospérité des Maîtres Ascensionnés est qu'ils s'abandonnent et n'entravent jamais le courant de leur énergie. Les hommes d'affaires font la même chose, d'une certaine manière, en investissant et en réinvestissant leur capital.

DEUXIÈME SECRET

DONNEZ DIX POUR CENT DE VOUS-MÊME À DIEU

Un autre secret de la prospérité est de donner dix pour cent de vous-même à Dieu. Il n'y a pas de loi qui dise que vous ne puissiez donner plus, mais je pense que donner moins conduit à rendre stérile la semence.

Donner un dixième est ce qui s'appelle la dîme. Aujourd'hui, j'ai eu une révélation concernant le mot *dîme,* (« tithe » en anglais). Je ne l'ai pas entendu comme dîme. Je l'ai entendu comme « *attache-toi* », (« tie thee » en anglais, qui se prononce de la même manière, N.du T.). Le dix pour cent est la portion du talent divin qui devient semence pour vous attacher à votre Présence Divine, à Dieu, la Grande Source, afin que le prochain cycle du système décimal germe et croisse. C'est le zéro, vous voyez. Vous dites un, deux, trois, quatre, cinq, six, sept, huit, neuf, et puis vous « vous attachez » – attachez à la Présence.

" Tie thee " en anglais signifie établir un rapport, un lien, une union avec la Source, la source de votre abondance. Et en donnant ce dixième, vous plantez la graine qui fait grandir votre abondance dans le prochain cycle. Si vous le refusez à Dieu, vous ne gagnez en fait rien du tout. En le gardant, vous perdez, car vous n'avez pas de semence qui permette la croissance dans le prochain cycle.

Il y a un gros industriel du bâtiment qui, dans sa jeunesse, avait fait un pacte avec Dieu selon lequel il lui donnerait dix pour cent de tout ce qu'il gagnerait. Cet homme a une immense famille et il voyage partout aux Etats-Unis, travaillant pour Dieu. Il accorde beaucoup plus d'attention aux affaires de Dieu qu'il n'en accorde à son entreprise. Et son affaire est si importante aujourd'hui que c'est une industrie gigantesque. Il a toujours appliqué ce secret de la prospérité qu'est l'offre de semence. Résultat : ses ressources n'ont cessé de se multiplier, et multiplier, parce que la loi a continué d'agir en sa faveur.

TROISIÈME SECRET

DONNEZ EN SECRET

Il y a de nombreuses années, Lloyd Douglas écrivait *Magnificent Obsession* (L'Obsession Magnifique). Dans ce livre, il révèle l'un des grands secrets des maîtres : gardez le silence sur ce que vous faites. C'est pourquoi certaines personnes viennent à moi et me chuchotent à l'oreille : « Je vais donner tel montant pour votre université. » Ils ne veulent pas que quelqu'un d'autre les entende parce qu'ils savent que s'ils donnent en secret, leur don non seulement leur sera retourné mais sera multiplié.

L'un des problèmes de l'église moderne a été de publier les noms des donateurs dans certains bulletins de l'église. À New York, il y a une importante activité de ce genre. On appelle chaque donateur un mécène, puis on publie la liste de ces mécènes. Or comme Jésus a dit : « En vérité, ils ont déjà leur récompense ».

Il y a un endroit dans la Bible où le bon usage du secret est énoncé : « Quand donc tu fais l'aumône », dit Jésus, « ne va pas le claironner autour de toi ainsi que le font les hypocrites. Mais donne en secret. »

QUATRIÈME SECRET

FAITES UN DON, SI PETIT SOIT-IL

Un autre secret de la prospérité est de donner quelque chose du peu que vous avez. Certains ont très peu d'argent. Ils disent : « Je déteste n'offrir au The Summit Lighthouse (Le Phare du Sommet) que quelques sous ; c'est trop humiliant pour moi. » Mais le milliardaire américain Rockefeller donnait aux gens seulement dix sous, n'est-ce pas vrai ? Tout ce qu'il donnait à chacun, c'était dix sous. Il était toujours en train de distribuer des pièces de dix sous, comme contribution charitable.

Ne pensez donc pas que cela puisse vous rabaisser de donner une petite somme. Dieu sait exactement ce que vous avez. Personne d'autre n'a besoin de le savoir. Voyez les choses sous cet angle : bienheureux celui qui donne plus que celui qui reçoit. Et vous allez recevoir, car donner est un secret de la prospérité. Les gens qui empêchent la circulation de l'abondance en disant: « Oh, j'ai peur », génèrent de la peur autour d'eux.

CINQUIÈME SECRET

UTILISEZ LES DONS QUE DIEU VOUS A DONNÉS

Cette peur a été illustrée par la parabole du serviteur qui reçut un vilain talent d'argent. Avant de partir pour un long voyage, le maître avait confié à ses serviteurs certains de ses biens, selon leurs aptitudes. À l'un d'eux, il donna cinq talents, à un autre, deux talents, et à un troisième, un talent. À cette époque, un talent était une pièce d'argent de grande valeur.

Quand le seigneur revint, il voulut savoir ce qu'ils avaient fait de leur argent. Il demanda au serviteur à qui il avait donné cinq talents: « Qu'en as-tu fait ? » L'homme dit: « Tu m'avais remis cinq talents : avec, j'en ai gagné cinq autres ». Le seigneur dit: « C'est bien, bon et fidèle serviteur; puisque tu as su faire fructifier ce peu de biens, sur beaucoup je t'établirai ; entre dans la joie de ton seigneur ».

Le second serviteur rapporta qu'il avait lui aussi doublé ses talents. Puis vint le pauvre garçon qui n'avait reçu qu'un seul talent. Il l'avait emballé dans un linge et l'avait enterré.

Il déterra ce vilain talent du sol, le sortit du bout de chiffon et dit à son maître: « Voici exactement ce que vous m'aviez donné. Je savais que vous étiez un homme dur et j'avais peur, mon seigneur, devant une aussi grande responsabilité. Alors j'ai pris ce talent que vous m'aviez donné et je l'ai caché dans la terre. »

Le seigneur le regarda sévèrement et lui dit : « Toi, mauvais et piètre serviteur. Enlevez-lui donc son talent et donnez-le à celui qui en a dix. Car à tout homme qui a, l'on donnera et il aura plus que nécessaire; mais à celui qui n'a pas, on enlèvera ce qu'il a. »

Cette parabole a été très critiquée et très mal comprise. Elle a été citée pour montrer que ceux qui n'ont pas beaucoup vont avoir encore moins et que ceux qui ont auront encore plus. Ce n'est pas du tout ce qu'elle signifiait. Ce que cette parabole voulait souligner, c'est que l'homme qui avait un talent se l'était vu retirer pour ne l'avoir pas utilisé.

Ne laissez personne vous tromper avec ces Écritures, car le secret de la prospérité y est clairement indiqué : utilisez ce que vous avez. Vous saisissez ? C'est très différent de ce que disent les gens. Plus de la moitié des gens qui prêchent au sujet de ces Écritures ne comprennent pas leur réelle signification.

Donc, en utilisant sagement les dons que Dieu nous a donnés, nous les multiplions. Ceci ne se rapporte pas nécessairement à l'argent. L'argent est seulement un moyen d'échange. Ce principe peut aussi s'appliquer à des formes de sacerdoce. Il peut s'appliquer à des choses que vous faites pour autrui. Il peut s'appliquer à d'autres gens autant qu'à votre proche famille.

SIXIÈME SECRET
CONSIDÉREZ LE MONDE COMME VOTRE FAMILLE

Une des choses qui altère la conscience et empêche l'abondance de descendre dans votre monde est le sentiment de possession envers autrui. Beaucoup de gens ont le sentiment que leurs enfants ou leur époux / épouse, ou leur mère et père ou leur frère et soeur – en d'autres termes leur famille – sont tout ce qu'il y a de plus important.

Mais vous ne possédez pas les gens, pas plus qu'ils ne vous possèdent. Tous les gens sont libres. Le sentiment d'appartenir à un cercle familial exclusif qui régit tous les autres dans le monde est l'une des raisons pour lesquelles la conscience est altérée et la prospérité ne vient pas.

Considérer le monde entier comme votre famille ne veut pas dire que vous deviez donner un dollar à chaque mendiant qui s'approche. Mais lorsque vous commencez à sentir et à penser en termes d'amour au sens large, dirigé vers des personnes hors de votre milieu familial, et que vous faites quelque chose pour l'une d'elles – pas nécessairement quelqu'un que vous aimez, mais quelqu'un qui vous est même totalement étranger – alors vous commencez à penser comme Dieu. Car Dieu donne son énergie et son aide à des gens qui le haïssent et qui lui crachent dessus.

Savez-vous qu'il y a des gens sur cette planète qui haïssent Dieu sciemment ? J'ai entendu des gens maudire Dieu et brandir le poing vers son visage en le défiant de les frapper d'un éclair. Dans la plupart des cas, Dieu se détourne d'eux et continue de leur insuffler vie et énergie. Il continue de prendre soin d'eux parce qu'il est le Dieu de tous comme il est le Dieu de chacun.

Ainsi, l'un des plus grands secrets de la prospérité est d'avoir la capacité de se détacher de ses soucis personnels et de s'oublier soi-même. Cette aptitude est un aimant qui vous élève jusqu'au divin.

SEPTIÈME SECRET

SOUVENEZ-VOUS QUE LA PRÉSENCE DIVINE EST LA SOURCE DE VOTRE ABONDANCE

JE SUIS venu pour qu'ils aient la vie, et

qu'ils l'aient en abondance, tout le secret est là. La Bible ne dit pas : « Vous êtes venu ». Il y est dit : « JE SUIS venu » – en d'autres termes, le JE SUIS, le Dieu en moi, est venu – « pour qu'ils aient la vie, et qu'ils l'aient en abondance. » Ceci dénote que la Présence Divine est la source de votre abondance. L'abondance ne vient pas de sources extérieures.

Je peux vous raconter une histoire drôle au sujet du The Summit Lighthouse (Le Phare du Sommet). Ce n'est en fait pas si drôle, mais il s'avère que c'est vrai. Au tout début, quand nous étions à Washington, D.C., notre budget était inférieur à ce qu'il est aujourd'hui. Parfois j'attendais trois à quatre jours avant d'aller chercher le courrier à la poste. Alors, on avait une grosse pile de lettres renfermant des dons et il semblait ainsi que l'on avait reçu plus d'argent.

C'était bon pour mon moral. Si j'allais à la poste pour ne trouver que quatre ou cinq enveloppes, c'était déprimant, et ce d'autant plus que nous avions beaucoup de factures à payer.

Une fois, je me suis amusé à comptabiliser

les dons sur une période de plusieurs mois. Que le courrier soit abondant, ou seulement de quelques lettres, le montant total d'argent dans les enveloppes ne semblait pas varier de plus de dix dollars. Allez comprendre ça !

J'ouvrais quatre enveloppes et il y avait un billet de cent dollars dans l'une, peut-être un billet de cinquante dans l'autre, et un chèque de soixante-quinze dollars dans une autre. Ces quatre enveloppes contenaient autant d'argent qu'une grosse pile de courrier.

D'autres fois, je revenais à la maison avec le courrier en disant : « Eh bien, on en a une grosse pile aujourd'hui ! » mais il y avait juste un dollar dans une enveloppe, cinquante cents dans une autre, un dollar dans une autre, et un chèque d'un dollar soixante-quinze dans une quatrième enveloppe. Une femme envoya même un chèque de soixante quinze cents ! Et c'était comme ça pour toute la pile de courrier.

Ainsi, j'ai remarqué que le Seigneur prend soin de nous, quelle que soit la source d'où il fait surgir l'argent. Nous en avons fait l'expérience et avons observé que l'abondance ne se tarit pas.

HUITIÈME SECRET

FAITES APPEL À FORTUNA

Nous avons aussi remarqué que Fortuna, l'une de nos Maîtres Ascensionnés, possède le pouvoir de nous accorder plus d'argent que nous n'en avons réellement besoin.

Je vais vous livrer l'un de nos secrets : chaque fois que l'on a un coup dur et que l'on a un contrat à remplir sans avoir l'argent nécessaire, on se tient debout devant l'autel de notre sanctuaire et tout le personnel récite le décret à Fortuna, « Les Trésors de la Lumière » :

Fortuna, déesse d'abondance,
De la richesse qui vient de Dieu,
Déverse tes trésors du soleil
Et accorde à chacun maintenant

Dont le coeur est uni à Dieu
Le pouvoir de faire descendre d'en haut
L'abondance pour parfaire le plan
Que les Maîtres destinent à chaque homme.

Accorde notre esprit au tien,
Et ainsi donne-nous de voir
Que l'opulence est faite pour ceux

Qui se tournent vers Dieu et prient.

Nous demandons, nous réclamons
L'abondance de la main de Dieu,
Pour qu'ici-bas tout comme en Haut
Les hommes affirment l'Amour Divin.

Parfois, nous récitions ce décret pendant dix, quinze, vingt minutes ou une demi-heure. Invariablement, en l'espace de quelques jours, le courrier nous apportait le montant d'argent requis.

NEUVIÈME SECRET

COMPTEZ SUR DIEU

Cela signifie que nous ne comptons pas sur les gens pour nous fournir nos ressources. Lorsque j'ai commencé dans cette organisation avec l'aide des Maîtres Ascensionnés, nous avions comme membre une femme dont la fortune était évaluée à plus de seize millions de dollars. Nous pensions qu'elle serait d'une grande aide pour nous – l'humain pensait cela. Nous n'avons jamais été aussi déçus de toute notre vie, et probablement à juste titre.

Puis, un autre ange nous a rejoints qui nous donnait quelques centaines de dollars chaque mois, mais elle s'est mise en colère pour un rien, et arrêta de nous envoyer cette somme. Elle est très imprévisible – de temps à autre on entend parler d'elle, mais pas très souvent.

Nous avons cessé de considérer les gens comme des pourvoyeurs de nos ressources. Nous nous en remettons complètement à Dieu. C'est un autre secret de l'abondance : ne dépendez d'aucun être humain, dépendez de Dieu.

Ma femme, Elizabeth, avait une plus grande croyance en la prospérité que moi. Je suis un fils de fermier et d'éleveur de bétail, et je ne possédais rien. Mon père venait d'un ranch canadien qui était immense. Il vendit son ranch à son père pour un dollar.

Ensuite, il vint aux États-Unis, en pensant qu'il hériterait du ranch à la mort de son père. Mais son plus jeune frère, resté à la maison, travaillait au ranch, et peu à peu il s'imposa dans le coeur de son père. Ainsi, le père légua le ranch à son plus jeune fils, et mon père se retrouva lésé.

Mon père n'avait pas beaucoup de talents.

Il n'était pas très instruit, et il dut travailler dur pour s'assurer des moyens d'existence. Il s'en serait bien sorti sur le grand ranch canadien, mais aux États-Unis sa vie était dure. Il mourut lorsque j'avais neuf ans. Ma mère n'était pas robuste, et elle était très préocccupée et inquiète de devoir élever toute seule un enfant de neuf ans. De nombreuses fois je n'avais rien à manger à la maison, à part peut-être deux ou trois tranches de pain.

Donc, quand je m'engageai dans la United Air Force pendant la deuxième guerre mondiale, ma mère était une veuve qui vivait seule dans une petite maison et elle avait peu d'argent. Je lui donnais ma solde d'une valeur d'environ vingt cinq dollars, et elle réussissait à gagner vingt cinq autre dollars par mois. Ainsi avait-elle à peu près cinquante dollars par mois pour vivre, ce qui n'était pas beaucoup pour couvrir les frais de nourriture, de transport, les impôts, garder la maison en état et autres choses. C'était assez dur. Et quand j'ai quitté l'armée, je n'avais rien.

Elizabeth avait eu une expérience un peu différente. Elle n'avait rien non plus. Mais elle était devenue membre de l'Église Christian Scientist dès l'âge de neuf ans et elle y avait adopté leur conception de la prospérité. Pour ma part, j'étais plutôt dans la tradition des Méthodistes. En fait, j'appartenais à la même église que le Sénateur Alexandre Wiley.

Le Sénateur Wiley faisait partie des gens riches de ma ville. Il y avait beaucoup de gens riches qui étaient des Méthodistes, et quelques pauvres parmi lesquels je me trouvais. Nous nous asseyions tous côte à côte dans l'église, mais nos relations s'arrêtaient là.

Donc il y avait une grande différence entre l'idée que je me faisais de la prospérité et celle que s'en faisait Elizabeth. Quand j'ai commencé ce travail, j'avais un peu peur. Je savais ce que cela signifie de se demander d'où le prochain repas ou le prochain dollar proviendra. Elizabeth ne réagissait pas comme moi. Elle était entraînée presque depuis son enfance à penser que c'est Dieu qui répond à nos besoins.

Une grande partie de ce que j'ai appris sur la prospérité me vient d'Elizabeth. Elle me disait : « Bien, maintenant Dieu veut que nous ayons cela, donc nous allons verser un acompte là-dessus. » Je rétorquais : « Mais nous n'avons pas assez d'argent ! Qu'est-ce qui te prend ? Nous ne pouvons pas acheter ça. » Et elle répondait : « Dieu peut subvenir à tous nos besoins. Aujourd'hui, nous allons juste verser un acompte, et si par la suite nous ne pouvons pas payer le reste, nous verrons bien. »

Cette femme, depuis que je la connais, a complètement changé ma manière d'envisager les choses. Je ne serais pas le moins du monde surpris de la voir partir un jour pour Londres, décider d'acheter le Pont de Londres, et réussir à rassembler les fonds nécessaires. Elle verserait un acompte et finirait probablement par en devenir propriétaire. Oui, je suis sûr qu'elle réussirait à convaincre la couronne britannique de lui céder le Pont de Londres !

Ainsi une grande partie de ce que je sais de la prospérité est le résultat de l'action des Maîtres oeuvrant à travers Elizabeth. Je suis sûr que vous pensez que j'avais quelque chose à lui offrir en contrepartie, parce qu'il y avait d'autres choses qui m'étaient données. En effet, j'étais l'un de ceux de qui l'on dit: « Bénis soient les simples d'esprit, car c'est à eux qu'appartient le royaume des cieux. »

Ensemble, nous avons beaucoup appris sur les secrets de la prospérité parce que nous consacrons nos ressources au The Summit Lighthouse (Le Phare du Sommet), et cela est une bonne chose.

DIXIÈME SECRET

GARDEZ TOUJOURS UNE SEMENCE DE PROSPÉRITÉ ET MAINTENEZ VOS PENSÉES ÉLEVÉES

Certains d'entre vous ne pourraient imaginer qu'au moment où j'ai fondé cette organisation, je portais des vêtements de seconde main achetés dans des boutiques de revendeurs à Washington, D.C. Un costume avec deux paires de pantalons coûtait dix-neuf dollars. Je me souviens m'être tenu sur l'estrade dressée dans la grandiose maison de la femme millionnaire dont je vous ai parlé, moi vêtu de mon costume-sac à patates à dix-neuf dollars, elle, assise juste là dans une de ses robes royales, et jamais elle n'a levé le petit doigt pour remédier à ce problème. J'ai porté ce genre d'accoutrement pendant presque un an.

Mais un jour, les Maîtres m'ont expliqué les lois de la prospérité et j'ai commencé à les utiliser. La première chose que j'ai faite, fut de me mettre à porter des costumes faits sur mesure !

Ainsi avons-nous appris à la dure ce qu'est la prospérité, et nous savons que ces lois fonctionnent pour tout le monde. Personne ne devrait être au-dessous du seuil de ce dont il a besoin, mais il n'y a pas de raison d'avoir plus que ce dont on a réellement besoin.

Certaines personnes disent: « Bon, je vais mettre de l'argent de côté pour les temps difficiles. » Je pense que c'est une bonne idée d'être prudent.

Maître Morya m'a enseigné cela, il y a quelques années quand je traversais des moments plutôt difficiles. Une fois, après avoir payé une facture, je n'avais plus que six dollars en poche et une montagne de dettes. Je conduisais une Lincoln flambant neuve mais je n'avais même pas l'argent nécessaire pour télégraphier à un ami qui était millionnaire et qui m'aurait consenti un prêt.

C'est là que Maître Morya est intervenu et m'a dit: « Assez de bêtises ! » Je lui ai répondu : « Que voulez-vous dire ? » Il a dit: « Ce que tu dois te rappeler, c'est que quelle que soit ta pauvreté, tu dois toujours garder cent dollars quelque part en cas de pépin. Tu n'as pas besoin d'en garder beaucoup, mais garde toujours au moins cent dollars en réserve quelque part. »

Je sais que très peu d'entre vous pourraient être qualifiés de pauvres. Peu importe. C'est toujours une très bonne idée d'avoir au moins cent dollars soit en espèces soit à la banque ou en réserve quelque part.

C'est un bon conseil pour tout le monde. Et je vais vous dire pourquoi. Maître Morya m'a montré que c'est une semence pour la prospérité.

Quand vous êtes au plus bas, fauché – et c'est un sentiment très désagréable d'en arriver là – vous n'avez plus rien à quoi vous raccrocher à part peut-être solliciter vos amis.

Vous allez donc les voir, et à tous les coups ils vous diront qu'ils ne peuvent pas vous aider en raison de toutes sortes de difficultés, ou bien parce que tout leur argent est placé.

Donc gardez une semence de prospérité, et gardez votre moral au plus haut. Vous allez me dire que c'est plutôt difficile quand on est au plus bas. Si ce n'était pas si difficile, plus de gens en seraient capables.

Si vous apprenez à ne pas dépenser jusqu'au dernier sou mais, au contraire, si vous en gardez assez pour vous renflouer en cas de problème, vous aurez confiance en cette semence. Alors vous pourrez demander à Dieu de vous accorder la sagesse de savoir comment la faire germer afin de la faire fructifier. Mais si vous utilisez tout jusqu'à ce que vous soyez fauché, sans le moindre sou, alors votre confiance sera bien souvent ébranlée.

Je pense que le Seigneur m'a fait passer par là pour m'enseigner la loi. Il fallait que je vive cette expérience pour pouvoir conseiller les autres, parce que toutes sortes de gens viennent nous voir dans cette organisation – des pauvres aux millionnaires, des fermiers aux industriels.

Nous avons parmi nos membres des gens vraiment merveilleux. Celui qui possède un million de dollars peut vous demander conseil tout autant que celui qui n'a rien, et nous voulons être capables de donner des avis judicieux à chacun.

ONZIÈME SECRET

AMORCEZ LA POMPE

Vos pensées jouent un rôle très important pour votre prospérité, et parfois, dépenser de l'argent est une façon d'enrayer un engrenage. J'ai connu des moments où tout allait mal. Je sortais alors m'acheter un costume dispendieux – juste en pleine débâcle. Porter ce costume me donnait une telle poussée que ça me remontait le moral. Et la première chose que je constatais, c'est que l'argent rentrait à nouveau.

C'est la vieille histoire de la pompe à amorcer. Vous devez débloquer quelque chose en vous car vous souffrez de stagnation mentale. C'est là tout le secret de la prospérité.

Comme je l'ai dit, la raison pour laquelle la

prospérité ne coule pas en abondance chez beaucoup de gens, c'est qu'ils ont cessé de donner. Peu importe qu'il y ait beaucoup ou peu d'eau dans le tuyau. S'il n'y a qu'un filet d'eau mais rien pour l'arrêter, vous réussirez à faire couler cette eau.

C'est pourquoi il est bon d'amorcer la pompe. C'est pourquoi une femme peut aller s'acheter une nouvelle robe. Parfois, il lui arrive de s'acheter un bijou très cher. La poussée d'adrénaline qu'elle en éprouve et la dépense d'argent font redémarrer les rentrées d'argent.

Vous devez comprendre comment travailler avec les lois de l'abondance. Non seulement vous travaillez avec elles par la prière et une façon de penser judicieuse, mais aussi en vous assurant que la stagnation ne tarit pas votre abondance.

C'est pourquoi certains parmi les grands millionnaires ont pris des risques énormes et leurs efforts ont été parfois couronnés de succès. Ce n'est pas une question de chance. C'est une question d'application de la loi.

DOUXIÈME SECRET

COMPRENEZ QUE LA PROSPÉRITÉ EST UNE ACTIVITÉ DE L'ESPRIT

Je m'assure toujours que les gens comprennent que la prospérité est plus une activité de l'Esprit que de l'être charnel. Beaucoup d'entre nous pensent que la prospérité est quelque chose qui relève de l'être charnel – que si on utilise les lois, alors une grande quantité d'argent coulera à flots dans notre monde.

L'argent est ce que les gens semblent unanimement désirer. Mais ce n'est pas là l'essentiel. Le bonheur, le contentement, la paix de l'esprit, la compréhension, la compassion, la tolérance, bref la qualité de la vie, ont plus de valeur que toute autre chose. L'argent ne peut les acheter.

Pourtant, vous ne pouvez pas vivre dans le monde moderne sans argent, à moins que vous ne soyez un pèlerin de la paix ou quelqu'un de ce genre. Vous pouvez utiliser le bol de mendiant comme le font les pauvres en Inde. Ils errent avec un bol à mendier, et toute la journée ils mendient jusqu'à ce que quelqu'un ait pitié d'eux et jette une pièce dans leur bol, et alors ils s'en vont acheter leur repas.

Je ne pense pas que la plupart d'entre nous puissent vivre de cette façon, spécialement ceux qui ont des enfants. Je sais que The Summit Lighthouse (Le Phare du Sommet) ne pourrait vivre de cette façon car nous avons une presse d'imprimerie à entretenir pour la publication des enseignements des Maîtres Ascensionnés.

TREIZIÈME SECRET

QUAND VOUS ÊTES SUR LE POINT DE VOUS INQUIÉTER, TOURNEZ VOS PENSÉES VERS DIEU

Il est intéressant de voir comment Dieu pourvoit à nos besoins. À mon avis, chacun de vous devrait développer sa foi en un Dieu qui satisfera ses besoins, quels qu'ils soient. Personne au monde ne devrait s'inquiéter de son avenir. En fait, l'inquiétude contribue à tarir le flot des richesses terrestres.

L'inquiétude va sans conteste vous couper de la source. Dès l'instant où vous commencez à vous inquiéter, vous vous branchez sur des millions d'autres gens qui s'inquiètent. Vous ne vous en apercevrez pas, mais leurs pensées vont être attirées comme un aimant dans votre subconscient et votre monde. Et bientôt, vous commencez à descendre, descendre, descendre, descendre à cause de leurs pensées.

L'un des plus grands secrets de la prospérité est de vous brancher sur le mode juste de pensée. Tournez vos pensées vers Dieu et les Maîtres en imaginant une profusion intarissable. Apprenez à développer l'idée que « quels que soient mes besoins, ils seront satisfaits. »

Beaucoup de gens se moquent de moi à cause de la réflexion que j'ai faite à l'homme auquel nous avons acheté notre dernière maison. Au bas de la colline, il y a une dalle de béton, et j'ai dit que « ce serait là la plateforme d'atterrissage pour notre hélicoptère. »

Bon, un hélicoptère vaut plusieurs milliers de dollars. Mais j'avais dans l'idée que Dieu me fournirait un hélicoptère et que j'apprendrais à le piloter, et serais capable de voler à travers les États-Unis pour donner partout des conférences.

Nous ne l'avons pas encore, mais la maison coûte beaucoup plus cher qu'un hélicoptère, et le Seigneur nous a donné une maison. Nous pensons toujours que quand nous aurons un ranch et notre université, nous aurons un hélicoptère pour nous y rendre. Peut-être que l'on pourra voyager ainsi partout dans le pays.

Elizabeth dit qu'elle ne montera pas à bord avec moi. Sa foi en la prospérité est très forte, mais elle ne semble pas en avoir autant en mes talents de pilote.

J'espère que je vous ai aidés un peu avec cet entretien. J'aurais pu le faire plus long, mais je pense que les éléments que j'ai abordés sont importants. On peut remplir la coupe si bien qu'elle déborde, j'espère tout au moins l'avoir à moitié remplie de bonnes choses pour vous.

LES CLÉS DE L'ABONDANCE CRÉATRICE

1. Soyez reconnaissant pour tout ce qui vous arrive.
2. Pardonnez-vous.
3. Rejetez l'anxiété.
4. Ravivez votre foi.
5. Visualisez vos rêves comme devenant réels.
6. Pratiquez la science du Concept Immaculé.
7. Purifiez votre subconscient.
8. Faites une carte au trésor.
9. Suivez les neuf étapes de la transmutation.
10. Méditez sur la création du nuage d'énergie infinie.

SECRETS DE LA PROSPÉRITÉ

1. N'entravez jamais le flot de vos énergies.
2. Donnez dix pour cent de vous-même à Dieu.
3. Donnez en secret.
4. Faites un don, si petit soit-il.
5. Utilisez les dons que Dieu vous a donnés.
6. Considérez le monde comme votre famille.
7. Souvenez-vous que la Présence Divine est la source de votre abondance.
8. Faites appel à Fortuna.
9. Comptez sur Dieu.
10. Gardez toujours une semence de prospérité et gardez vos pensées élevées.
11. Amorcez la pompe.
12. Comprenez que la prospérité est une activité de l'Esprit.
13. Quand vous êtes sur le point de vous inquiéter, tournez vos pensées vers Dieu.

TABLE DES MATIÈRES

❋❋❋

Mark L. Prophet et Elizabeth Clare Prophet sont des pionniers de la spiritualité moderne. Pendant 40 ans, ils ont donné des conférences et dirigé des ateliers, à travers les États-Unis et dans différents pays du monde, sur des thèmes concernant la vie spirituelle, dont les anges, l'aura, l'union des âmes, la psychologie de l'esprit, la réincarnation, les voies mystiques des grandes religions, la pratique de la spiritualité.

❋❋❋

AUTRES PUBLICATIONS EN FRANÇAIS
par Elizabeth Clare Prophet

Édition Lumière d'El Morya / Disponible en librairie au Québec seulement :

MESSAGE DU PLAN ÉTHÉRIQUE

COMMENT TRAVAILLER AVEC LES ANGES

LE POUVOIR CRÉATEUR DU SON

LE POUVOIR REMARQUABLE DES DÉCRETS

LA FLAMME VIOLETTE

SAUVONS LE MONDE AVEC LA FLAMME VIOLETTE (disque compact)

POUR TOUT RENSEIGNEMENT
EN ANGLAIS, ÉCRIVEZ OU APPELEZ :
The Summit Lighthouse
P.O. Box 5000, Corwin Springs
MT 59030-5000 U.S.A.
Tél. : 406-848-9500
Télécopieur : 406-848-9555
Courriel : tslinfo@tsl.org
Web site : http://www.tsl.org

❋

POUR TOUT RENSEIGNEMENT
EN FRANÇAIS, ÉCRIVEZ OU APPELEZ :
Centre d'enseignement de Montréal
Le Phare du Sommet
(The Summit Lighthouse)
C.P. 244, Succursale R, Montréal, Québec
Canada H2S 3K9
Tél. : 514-273-4799
Courriel : cut.mtl@videotron.ca
Le site web en français : http://www.tsl.org

❋

Les Éditions Lumière d'El Morya
4461, rue Saint-André, Montréal, Québec
Canada H2J 2Z5
Tél. : 514-523-9926 Télécopieur : 514-527-2744
Courriel : elmorya@videotron.ca

❋